Нежные игры Жизни и Смерти

Richard
BACH

Travels
with Puff

A Gentle Game of Life and Death

Ричард БАХ

Нежные игры Жизни и Смерти

Путешествия с Пафф

«СОФИЯ» 2013

УДК 821.111(73)
ББК 84(7США)
Б30

Фотографии Дэна Никенса

Перевод с английского Евгения Мирошниченко

Б30   **Бах Ричард**
Нежные игры Жизни и Смерти: Путешествия с Пафф /
Перев. с англ. — М.: ООО Издательство «София», 2013. — 240 с.

ISBN 978-5-399-00514-0

Любовь, приключения, вдохновение… Все это вы найдете в «Нежных играх Жизни и Смерти». Ричард Бах снова взялся за перо — и мы получили возможность наблюдать, как он повстречал свою новую любовь, которую зовут Пафф, завоевал ее доверие и пролетел вместе с ней через всю страну. Вместе с Бахом на таком же самолете SeaRey летит Дэн Никенс, влюбленный в геологию авиатор с фотокамерой. Бах описывает их совместное путешествие посредством слов, а Никенс — с помощью фотоснимков. Так что возьмите книгу — и расправьте крылья. Ричард не утратил своей способности с первых же страниц брать нас за руку и увлекать в полет по мирам мечты — его мечты и нашей.

УДК 821.111(73)
ББК 84(7США)

*Издательство благодарит военного летчика,
гвардии старшего лейтенанта Максима Кольцова
за помощь в переводе авиационных терминов.*

Travels with Puff. A Gentle Game of Life and Death

Published by arrangement with Richard Bach

ISBN 978-5-399-00514-0

Содержание

Обращение к недоверчивому читателю

Р аботая над «Нежными играми Жизни и Смерти», я сам еще не понимал, что закладываю в книгу особую мелодию, которую нагудел мне мотор аэроплана, — лейтмотив моего краткого пребывания на планете Земля. Такую же песенку поют себе Бог знает сколько сотен миллионов людей: «Что такое свобода и как мы можем день за днем реализовать ее, прокладывая свой собственный путь по жизни?»

Но это не ко мне. Я не бродяга. С бродягами меня объединяет только два признака: 1) у меня нет галстука и 2) я никогда не носил смокинг. Более того, я упрямо отвергаю обе эти вещи: ни за что не надену ни то, ни другое. Но этого явно недостаточно, чтобы объявить себя альфа-бродягой… В лучшем случае, я могу претендовать на место где-то между лямбдами и эпсилонами.

Кто-то даже может предположить, что в своих книгах я многое просто понавыдумывал и слова мои расходятся с делом.

Я ничуть не сомневаюсь, что эта история вызовет те же подозрения: вы решите, будто я все сочинил. Еще до моего знакомства с мистером Тоудом, и даже с самой Пафф, я прекрасно сознавал, что люди станут сомневаться в реальности всего, что бы я ни написал, и заподозрят, что любая моя история — не более чем досужие фантазии писаки, время от времени вальяжно привстающего с пуховых подушек, чтобы запечатлеть свои вымыслы на бумаге.

Первые, пусть и сомнительные, свидетельства правдивости моего рассказа предоставит простенькая камера моего мобильного телефона. Затем в мою поддержку выступит также мой брат по духу и по воздуху, пилот Дэн Никенс, вооруженный непревзойденной зеркальной фотокамерой *Canon EOS 5D*. Именно его снимки станут наилучшим подтверждением каждого слова в повествовании, которое, вы, надеюсь, собираетесь прочесть.

Сама судьба свела нас с ним для этого полета, чтобы предоставить вам, дорогой читатель, неопровержимые свидетельства правдивости каждого события и каждого слова, которые вы встретите на следующих страницах, — ведь все подтверждено фотодокументами!

Описанное тут приключение совсем не опасно. Это очень спокойное путешествие, какое может почти наверняка предпринять каждый из вас… Путешествие, в котором никто не требует, чтобы вы рисковали жизнью, — во всяком случае, не выдвигает предложений, от которых нельзя отказаться.

Несколько лет назад я увидел на футболке случайного прохожего надпись «Обрел свободу?». Я принял этот вопрос на свой счет.

Здесь вы найдете мой несколько запоздалый ответ, начертанный двумя маленькими самолетиками поперек целого континента, пределы которого сотни и сотни раз простираются за горизонт.

Ричард Бах

Глава 1

Знакомство

Помните ли вы «Ветер в ивах»*?

А припоминаете ли мистера Тоуда, неугомонного хозяина поместья Жабсхолл? Надеюсь, вам он не показался… хм… эксцентричным?

Вот и мне не показался.

А помните ли вы, как он повел себя, когда впервые увидел автомобиль? Вы ведь не назвали бы его увлеченность «одержимостью», правда?

Вот и я не назвал бы.

А потом настал день, когда Тоуд впервые увидел аэроплан… Ради него он отбросил автомобиль, как старый хлам. Вы ведь согласны, что его желание испытать свободу полета совершенно естественно?

Вот и я считаю его естественным.

Я никогда не сумел бы сказать об этом лучше, чем сам Тоуд:

— Не бывает свободы без независимости, друзья мои. Нет никакой свободы, пока ты не разорвешь все цепи, с помощью которых кто-то тебя куда-то тащит, к чему-то принуждает… решает против твоей воли, как ты должен жить!

Он стоял посреди просторного зала и произносил свою вдохновенную речь, обращаясь к своим друзьям — Рэтти, Моулу, Баджеру и ко мне:

— Я тут толкую вам о свободе в самом чистом ее виде! Быть свободным означает жить не по чужому наущению, но по зову собственного необузданного духа!

---

* Сказочная повесть шотландского писателя Кеннета Грэма, впервые изданная в 1908 году. Несколько раз экранизирована. — *Прим. перев.*

— Верно! Дело говоришь! — загомонили мы, стуча по столу подушками лап так, что загремела посуда.

В этих словах Тоуд очень точно выразил мою правду. Обретая независимость, что мы делаем со свободой, которую она несет? Неужели продолжаем жить по чужим правилам?.. А между тем нет ничего более независимого, чем летающая машина, скажу я вам! Нет ничего более вольного, чем аэроплан, настолько похожий на самолетик самого Тоуда, что он хоть сейчас смог бы сесть в него и полететь — даже с закрытыми глазами!

Наш с Тоудом обмен мнениями состоялся не *Давным-Давно* — он происходит *Сейчас*!

В общем, все эти несгибаемые доводы побудили меня вчера *купить себе аэроплан*.

Глава 2

Объявление

SEAREY 912S 73 T.T.A.E. 2008 года выпуска
• ОТДАМ В ХОРОШИЕ РУКИ • Подробности: *SeaRey «Classic»*, доукомплектованный некоторыми узлами *SeaRey LSX*: турбулизаторами, амортизационными пластинами, растяжками хвостовой стойки и усовершенствованными перегородками *LSX*. Собственные характеристики: углепластиковый корпус, мотор *Rotax 912ULS 100 HP*, электрическое управление шасси, электрическое управление закрылками, гидравлические тормоза *w/ Hegar 6.00 x 6 Rims*, трехлопастный пропеллер *Ivo*, топливный бак на 26 галлонов, внешний генератор переменного тока на 40 ампер, масляный радиатор, навигационные огни *Whelen*.
• Местонахождение: Малабар, Флорида. Телефон: 321-253-9434; сайт: http://www.seareyspecialist.com. Джим Рэтти (агентство *RECREATIONAL MOBILITY*).

Все эти технические словечки что-то для меня да значат — ведь я имею дело с самолетами всю жизнь. Мне подумалось, что эта машина очень похожа на аэроплан Тоуда… Что ж, значит, я и есть «хорошие руки»!

Я позвонил по телефону 321-253-9434 Джиму Рэтти (чья фамилия, между прочим, произносится в точности так же, как имя одного из верных друзей мистера Тоуда). Едва он представился, как я выпалил в трубку:

«Я — *хорошие руки*!»

Ну разве она не маленькая прелесть? Небесная лодка. И по небу летает, и по земле разъезжает, и по воде плавает. Но, имея дело с таким аппаратом, нужно зарубить себе на носу: когда садишься на землю, выпусти шасси; когда садишься на воду, *подними* шасси. Если на любом самолете-амфибии ты попытаешься сесть на воду с выпущенным шасси, раздастся феерический всплеск и бранить себя ты будешь уже под водой. Однако лично я всегда внимателен к положению колес, так что меня это все не пугает.

Но есть одна загвоздка: предмет моей новой влюбленности живет во Флориде, а это двадцать восемь сотен миль* вороньего лёта от моего дома в штате Вашингтон. Таким образом, я окажусь на другом краю континента, и мне нужно будет перегнать свой самолетик домой… а это тридцать четыре сотни миль полета, ибо моя амфибия — отнюдь не ворона, и нам придется огибать горы, где до сих пор еще стоит зима, сулящая снега и ветры, которых легким аэропланам следует сторониться, как полуночных зомби.

Это прекрасный пример того, как Мысль преобразует нашу реальность. Вдруг раздается звук барабанов и кимвал, трансформируя до неузнаваемости привычный трехмерный мир, и в мою жизнь врывается необузданный подросток — бывший я, — вновь воспламеняя во мне мечту и страсть: «Приключения! Романтика! Жизнь на фронтире!»

Если вы читали «Хроники хорьков»**, возможно, вам этот возглас покажется знакомым… Не наблюдаете ли вы оживления в мире хорьков? Чувствуете, как встрепенулись Баджирон, и Строуб, и Шайен, и Шторми, и Бетани? Особенно Бетани, ведь если бы мне на моем новом самолетике довелось служить в Спасательной Службе Хорьков, то меня бы причислили именно к спасательной станции Мэйтайм, которая

---

* 1 миля — 1609 метров. — *Прим. перев.*
** М.: София», 2002. — *Прим. ред.*

расположена поблизости от моего дома. На своем самолете-амфибии *SeaRey* я мог бы работать в паре со спасательным катером Бетани *J-101* «Решительный», помогая ей с воздуха разыскивать терпящих бедствие на море зверушек.

Инструктор научит меня управлять аппаратом, затем я немного пообвыкнусь с ним, после чего меня ждет несколько недель путешествия домой… И кто знает? Возможно, я найду попутчика — другого пилота на таком же самолетике!

Я буду день за днем на свой манер реализовывать дарованную каждому из нас свободу жить по своему выбору. *SeaRey* может лететь почти куда угодно практически в любой момент. И это та самая свобода, которая мне нужна: направлять свой аэроплан туда, куда я хочу.

Если за дни своей жизни я усвоил хотя бы один урок, вот он: *Каждый из нас сам выбирает себе шахматную доску и спортплощадку, каждый сам определяет, на какой сцене намерен играть.*

Я выбираю небо.

Может ли кто-то, кроме меня самого, помешать мне отправиться туда — помешать мне жить, как я хочу? Кто в силах меня остановить? Думаю, никто.

И я намерен выяснить, действительно ли это так.

Глава 3

От хрупкой мысли к миру форм

Перелет через часовые пояса немного меня дезориентировал, но я быстро прихожу в себя. Едва сойдя с авиалайнера, я помчался из большого аэропорта в Орландо на маленький аэродромчик в Валкарии на берегу атлантического побережья, где стоит в ангаре *SeaRey*.

Во-первых, оказалось, что ее зовут Три-Четыре-Шесть Папа-Эхо*.

Во-вторых, это необычайно грациозная маленькая амфибия.

В-третьих, я от нее без ума.

Однако мое чувство не встретило взаимности.

Первое прикосновение. Мои пальцы пробежались по шелковистому стекловолокну фюзеляжа.

— Здравствуй, малышка, — мысленно поприветствовал ее я, пытаясь завязать знакомство.

Никакого ответа, только странное ощущение, что она отшатнулась:

— *Не тронь меня. Пошел прочь!*

— Джим, — обратился я к человеку, который ее построил, — есть какие-то проблемы?

— А ты сразу понял, да? — ответил он.

— Никогда раньше не было у меня такого ощущения. Самолет меня *боится!*

Он погладил ее по крылу — словно потрепал по загривку испуганную лошадку:

---

* Имеется в виду бортовой номер самолета — 346РЕ. — *Прим. перев.*

— Первый владелец посадил ее на воду, не подняв шасси.

Я болезненно поморщился.

— Однако она летела налегке и против сильного ветра, так что столкновение с водой произошло на малой скорости. Она не погибла. Нам удалось отстроить ее заново.

— Ты сказал: «Первый владелец». Значит, был второй?

Он кивнул, не снимая ласковой руки с крыла: «Все в порядке, малышка. В порядке…»

— Второй владелец был уверен, что ему не нужен инструктаж. Думал, он и так сможет прекрасно летать на ней…

Джим замолчал, припоминая подробности.

— И это оказалось не совсем так? — сказал я.

— Ага… Не совсем. При взлете она ударилась левым крылом. Сильно ударилась. Мы заново отстроили ее крыло вместо отстроенного заново. А тот человек расхотел летать на этой машине — она ему больше не нужна.

Предыдущие два раза новые хозяева разбивали ее буквально сразу после первого приветствия. Стоит ли удивляться, что малышка не рада новому знакомству?!

Мы несколько часов говорили о самолетах марки *SeaRey,* а Джим тем временем устанавливал в ней подогреваемые карбюраторы, которые я затребовал. Затем еще несколько часов я просто сидел в кабине, привыкая к обстановке, к расположению переключателей и циферблатов, представляя себе, какой должен быть из нее вид в полете. Потом еще немного побеседовал с инструктором — и мы отправились в полет.

Не стану вдаваться в технические подробности, скажу лишь, что тот первый многочасовой учебный полет в маленьком самолетике доставил мне массу удовольствия.

И ни разу в моем сознании не промелькнуло сомнение, стоит ли мне покупать этот экспериментальный аппарат, построенный любителями. Если я узнаю ее поближе — если научусь управлять ею как следует, — сможем ли мы подружиться? Сможем ли летать не каждый сам по себе, но стать однажды единым телом, окунувшимся в сияющую свободу небес? Сможем ли вместе парить там, искренне радуясь друг другу?

Если за дни своей жизни я усвоил хотя бы один урок, вот он: *Любая светлая мечта рано или поздно осуществляется, если мы изначально лелеем в своем сердце ту любовь и радость, которые она в себе несет.*

Глава 4

Кривая обучения

Итак, я вернулся в гостиничный номер, а малышка *SeaRey* покоится в своем ангаре, из чего вы можете заключить, что мы с амфибией успешно пережили еще один день инструктажа.

Странно наблюдать за тем, как обучается мое внутреннее «я», понемногу сживаясь с вещами, еще только вчера казавшимися мне странными и некомфортными. *SeaRey* совсем не похожа на другие самолеты, которые мне доводилось водить прежде. Необычайно отзывчива и легка в полете, она неистово кружит меня в вихре учебных задач, не давая продохнуть.

SeaRey очень маленькая — на земле возникает ощущение, что ты сидишь в шезлонге. Спинка сиденья отклонена назад, тогда как обычно она расположена почти вертикально. Рычаг управления двигателем (*РУД*) расположен по правую руку, а не по левую, шасси и закрылки приводятся в движение при помощи электрических переключателей вместо привычных рычагов и рукояток.

Как ни странно, летать на ней непросто… Чувствительная, как перышко, она не очень-то послушна сознанию пилота, привыкшего к более тяжелым аппаратам. Мои первые взлеты были неуклюжими и непредсказуемыми, а приземления и того хуже (летчики называют их «управляемыми крушениями»). Плюсы? Она оказалась достаточной прочной, чтобы пережить эти мои учебные полеты.

Со временем приземления несколько улучшились, стали мягче… но я все еще недоволен ими — недоволен собой. Для управления самолетом требуется рука хирурга — а я пока что действую как мясник.

Мой инструктор сегодня смог вздохнуть с облегчением. В очередной раз заходя на посадку, я заметил, что он вроде бы уже не так сильно опасается за свою жизнь, как вчера, во время моих первых жутких приземлений. Понятно, что он все еще насторожен, как кот, и готов в любой момент схватиться за рычаги, если я вдруг совсем потеряю контроль над ситуацией и после жесткого отскока от земли начну заваливать самолет на крыло с истошным воплем: «ПОЛУЧАЙ, ВРАЖИНА!», — но я видел, что сегодня он считает такой сценарий маловероятным. Медленно, медленно я начинаю чувствовать ее: «Ради Бога, Ричард, стань легче, подстройся сам, вместо того чтобы пытаться подмять под себя ее. Да, она крепкая — сработана на славу, — но все равно это легкий, легкий, *легкий* самолет!»

Почти все обучение на самолете-амфибии сводится к отработке навыков посадки — на суше и на воде. Дело в том, что управлять большинством аппаратов в полете довольно просто — нужно только чуть-чуть попривыкнуть. Набор высоты и планирование, повороты и сваливания — требуются считаные минуты, чтобы разобраться во всем этом: вот здесь начинается сваливание, а вот так нужно совершать поворот, набор высоты, планирование…

Самая сложная задача, доставляющая наибольшее удовольствие большинству пилотов (или наибольшие трудности, как это было в моем случае вчера), — это приземление. Каждая посадка не похожа на другие. Немного меняется ветер, сам самолет оказывается чуть легче или тяжелее, чем в прошлый раз, в схеме движения участвуют другие самолеты, взлетающие или заходящие на посадку, где-то поблизости летают грифы, орлы или чайки — ситуация изменяется с каждой секундой.

Мой инструктор не напорист — он позволяет мне обучаться в собственном темпе и не терзает меня лишними объяснениями во время полета. Зато он очень внимательно следит за тем, чтобы я проговаривал перечень операций: «Это посадка на *ВОДУ*. Левое шасси *ВВЕРХ*, хвостовое шасси *ВВЕРХ*, правое шасси *ВВЕРХ*. По индикатору все шасси *ПОДНЯТЫ* для посадки на *ВОДУ*…» Он хочет, чтобы я всегда произносил все это вслух, ибо любой желающий может без труда отыскать в Интернете видео, где амфибии садятся на воду с выпущенным шасси… мы наблюдаем шумный всплеск — и через миг самолет безмятежно плавает на волнах пузом вверх.

Далее я говорю: «…Вспомогательные насосы *ВКЛЮЧИТЬ*, закрылки на двадцать — для посадки на *ВОДУ*». С утра пораньше мы прилетели на одно из озер посреди безлюдной равнины (таких водоемов полным-полно в центральной части Флориды). Я переключил двигатель на малый газ, и мы с тихим шелестом пошли на посадку, заворачивая по дуге навстречу ветру — зеркало воды под нами стремительно росло.

Мой инструктор — единственный знакомый мне летчик, который называет заход на посадку «нырок в землю», потому что *SeaRey* — единственный аппарат, дающий такое ощущение. Он позаимствовал это выражение из лексикона парашютистов — они так называют последние секунды затяжного прыжка, когда у человека вдруг возникает чувство, что земля несется ему навстречу с совершенно безумной скоростью. Летая на ′Rey, мы имеем возможность, которой нет у парашютистов:

18

Нежные игры Жизни и Смерти. Путешествия с Пафф

можем в полной мере насладиться нырком в землю, не расплачиваясь за это неминуемой гибелью через секунду. Нужно лишь чуть взять на себя рычаг управления самолетом*, и вот уже барашки волн мерцают в двенадцати дюймах под нами, потом в шести дюймах и, наконец, с шумом трутся об углепластик корпуса.

Тем утром мы сделали несколько приводнений с немедленным заходом на второй круг («плюхнулись и отскочили», как говорят пилоты амфибий) — едва коснувшись волн, я сразу же снова давал газу. На несколько секунд наш самолетик превращался в скоростной катер — и опять устремлялся в небо. Затем мы совершили несколько приводнений с полной остановкой. Опустившись на воду, мы некоторое время дрейфовали по озеру, подобно рыбацкой лодке, после чего я давал полный газ и вода под фюзеляжем вскипала белыми брызгами — словно снег над бархатистой синевой озера. Стремительный подъем и беглый взгляд назад, чтобы увидеть кильватерный след на воде — вот только лодки нет! (Ведь мы и есть эта лодка, взмывшая в небеса.)

Представляете, сколько удовольствия? Да, этому нужно учиться, и — да, поначалу бывает трудно и досадно, ведь самолет так чувствителен к любым неверным движениям… Но стоит освоить нужные навыки, и ты уже недоумеваешь: «И как это могло мне казаться сложным? Нет ничего проще, чем летать на *SeaRey*!» Взлетаешь, откуда хочешь, садишься, где хочешь, летишь, куда вздумается. Это именно та свобода, которая по душе мистеру Тоуду — и мне.

Мы повторяли эти маневры снова и снова: три учебных вылета за сегодняшний день, которые состояли только из взлетов и посадок на воду, взлетов и посадок на сушу. Понемногу, понемногу я становлюсь частью летательного аппарата, мой дух обживается в ее теле, расправляет крылья… «О да… с этим телом я могу ЛЕТАТЬ!»

А она между тем молчит, и тревожно ждет, и морщится, когда я поднимаю ее в воздух слишком тяжело и неуклюже (словно утка со льда) или приземляю на грунт слишком резко, так что она мячиком отскакивает от земли.

— *Только не разбей меня снова… пожалуйста!*

---

* Основные два рычага в самолете — рычаг управления двигателем (*РУД*) и рычаг управления самолетом (*РУС*). Первый отвечает за тягу двигателя (его еще называют «рычаг газа»), второй — за набор высоты и крен. Повороты осуществляются в основном при помощи крена в соответствующую сторону. Есть еще педали поворота, но их функция скорее вспомогательная. — *Прим. перев.*

Глава 5

Наедине

И нструктор предлагал совершить сегодня утром еще один тренировочный полет, но мне не терпелось перегнать *SeaRey* в мое логово в Центральной Флориде, чтобы чуток передохнуть, а потом спокойно поупражняться самому — только я и самолет.

— Не волнуйся, — сказал я, — ты славно меня поднатаскал. Благодарю. Так что сейчас я продемонстрирую тебе идеальный взлет — и до скорой встречи!

— Ты знаешь, о чем нужно помнить… — сказал инструктор.

— Шасси, закрылки, вспомогательный насос!

— Молодец.

Я затолкал свой багаж в дорожную сумку, расположил ее на пассажирском сиденье, пристегнул ремнем, сел на свое место, вырулил на взлетную полосу и совершил самый паршивый взлет во всей моей летной карьере.

Если вы когда-нибудь наблюдали шоу пьяного пилота, то легко можете представить себе эту картину. Бедняжка ´Rey, шатаясь, карабкалась в небо, в ее вытаращенных глазах застыл ужас.

— *О нет! Только не это! Ну в чем я провинилась? За что мне снова такой пилот?*

А все дело в том, что я думал о всяких посторонних вещах и забыл о необходимости удерживать рычаг управления чуть на себя, чтобы заднее шасси некоторое время оставалось на земле, и не дал вовремя педаль правого поворота перед взлетом… Короче говоря, моя машина изо всех сил пыталась взлететь без моего участия, пока я сам витал в облаках.

Следующие пятьдесят миль я, на чем свет стоит, проклинал себя за небрежность (правда, в проклятиях я не силен) и, что важнее, дал себе клятву вдумчиво относиться к каждому своему взлету, начиная с того момента, как я снимаю аппарат с тормоза. Нельзя просто дать полный газ и беззаботно мчаться в мир грез.

Наконец я рассмеялся и подбодрил себя: «Ладно, парень. Урок усвоен. На первый раз ты прощен».

Между тем (поскольку во время самобичевания я тоже отсутствовал) самолетик совершенно самостоятельно вскарабкалась на высоту 1500 футов*, легла на курс и терпеливо ждала, пока я увижу... И, Бог мой, я увидел!

Теперь, когда мне не нужно было раз за разом сосредоточенно отрабатывать стандартные процедуры... подготовка к взлету, взлет, выход на заданную высоту, подготовка к приземлению, тройная проверка соответствия положения шасси типу посадки, разворот, заход на новый круг, выход на заданную высоту... я наконец разглядел, сколь потрясающе прекрасен мир подо мной!

Я открыл прозрачный фонарь кабины и положил локоть на борт — в точности так, как я делал, когда вел свой первый автомобиль. Ветер со свистом врывался в кабину. Я снова лечу с открытым фонарем — такого не бывало с того лета, когда я сидел за штурвалом биплана «Стремительный», а рядом летел Дональд Шимода в своем «Тревл Эйре».

Обзор из кабины просто идеальный — разве что сзади ничего не видно, но мы ведь туда и не летим. А впереди и по сторонам вид такой, что хочется смеяться от счастья... и поскольку кабина открыта, твой смех разносится ветром на многие мили вокруг.

Малышка если и не забыла, то хотя бы простила мне этот неуклюжий взлет. Я почувствовал, что ей и самой это понравилось — оставить Атлантику позади и лететь в поднебесье в направлении Тихого океана. И еще я понял, что она смирилась с судьбой. У нее ведь нет выбора, кроме как испытать удачу со своим новым пилотом... Бак полон, а поэтому можно расслабиться и просто лететь себе вперед со скоростью 75 миль в час.

— *Если он захочет меня разбить, тут уж ничего не поделаешь.*

Индикаторы приборов демонстрировали полную гармонию... все датчики температуры и давления показывали оптимальные значения и были стабильны, как будто стрелки просто нарисованы на табло. Когда осваиваешь новый самолет, проходит некоторое время, прежде чем ты разберешься, какие показатели приборов означают норму, — и если во

---

* 1 фут — 30,48 см. — *Прим. перев.*

Нежные игры Жизни и Смерти. Путешествия с Пафф

время трансконтинентального перелета все параметры стабильны, это очень хорошее начало взаимоотношений — как по механическим, так и по человеческим меркам.

Почти через час я взял рычаг газа на себя и начал спуск для посадки на озеро возле моего дома. В очередной раз проговорил список операций: «Это посадка на *ВОДУ*. Левое шасси *ВВЕРХ*, хвостовое шасси *ВВЕРХ*, правое шасси *ВВЕРХ*. По индикатору все шасси *ПОДНЯТЫ* для посадки на *ВОДУ*. Закрылки на двадцать, вспомогательные насосы *ВКЛЮЧЕНЫ*. Это посадка на *ВОДУ*, поэтому все шасси *ПОДНЯТЫ*!»

Теперь это уже стало для меня второй природой: опускаю нос, удерживая скорость 75 миль в час... и вот мы скользим вниз, пронизывая горячий воздух. Перепроверяю себя, произнося вслух: «Шасси *ПОДНЯТЫ* для посадки на *ВОДУ*». Гладь озера начинает стремительно вздыматься нам навстречу — «нырок в землю»... мы словно падаем в море кленового сиропа. Прекращаю падение, потянув на себя рычаг управления самолетом, нос аппарата задирается вверх, скорость снижается, и вот уже мы летим в нескольких дюймах над темными волнами... так держать, Ричард, ничего не делай, только удерживай это идеальное положение, потом «хлюп-хлюп-хлюп» — захлопал киль по верхушкам волн... «сшшшшш» — зашипели брызги из-под поплавков под крыльями. ´Rey расслабленно осела в воду и превратилась в скоростной катер, мчащийся со скоростью 30 миль в час.

Легким нажатием на *РУД* удерживаю самолет в режиме скоростного катера и заворачиваю к берегу по большой дуге. Мы поворачиваем направо, поэтому по левую руку от нас вздымается белое облако водяной пыли. Какое же наслаждение, балансируя тягой и рулем, чертить эту безупречную дугу на воде, которую никто, кроме меня, не увидит, а я никогда не забуду... Вот почему мистер Тоуд выбрал этот путь, и вот почему я здесь.

Ни в мире грез, ни в реальном пространстве-времени для многих из нас нет ничего милее, чем образ летающей лодки, бороздящей гладь жидкого снега. И долгое изнурительное обучение искусству пилотирования, и необходимость запоминать бесконечные характеристики оборудования, а также назубок заучивать многочисленные штатные процедуры, вновь и вновь проговаривая их по дороге в продуктовый

---

* Напомним: *РУД* — это рычаг управления двигателем, он же рычаг газа. — *Прим. перев.*

магазин, — достаточной наградой за все это служат нам вот такие дивные моменты, как сейчас. Именно это мы называем свободой.

При приближении к берегу я чуть сбросил газ, и амфибия с благодарностью отметила: если ее новый владелец не сумел нормально взлететь, то хотя бы посадку совершил нормально. Пока она сбавляла ход, я отжал *РУС** вперед, чтобы хвостовая часть не колотилась о вол-

---

* Напомним: *РУС* — рычаг управления самолетом. — *Прим. перев.*

ны. И вот мы превратились в катерок для семейного отдыха — корпус глубоко сел в озеро, так что я, протянув руку из открытого фонаря, смог окунуть ладонь в прохладную воду. Закрылки *ПОДНЯТЬ*, вспомогательные насосы *ОТКЛЮЧИТЬ*, радио *ОТКЛЮЧИТЬ*, наушники отключить, ремень отстегнуть, шасси *ВНИЗ*! Зажужжали электромоторы, выпуская и фиксируя шасси... через несколько секунд они нам потребуются, чтобы въехать на пляж. Теперь ручку газа вперед. Взревел мотор, вода резко пошла вниз, и вот уже наши колеса катятся по прибрежному песку.

Разворачиваемся лицом к озеру, становимся на тормоз и переключаем мотор на холостые обороты, чтобы стабилизировать температуру. В памяти быстро мелькают сцены из только что завершившегося полета: этот умопомрачительный нырок в землю, этот долгий поворот на воде, стремительный бег моей маленькой ´Rey по кромке между небом и водой.

Если за дни своей жизни я усвоил хотя бы один урок, вот он: *Пусть ты приобрел весь опыт, который только можно приобрести в этом мире, но если ты не применяешь его, считай, что никакого опыта у тебя нет. Никогда не забывай о том, что знаешь.*

Затем с легким дуновением светлой грусти — зажигание *ВЫКЛ*, главный тумблер *ВЫКЛ*. Коротко вздрогнув, ´Rey прервалась на полуслове:

— Обещай мне, пож...

Зрителей не было, но если бы кто-то смотрел в это время на мой пляж, то увидел бы пилота, неподвижно сидящего в своем новом аэроплане на берегу безмятежного озера. Две сущности, чье будущее отныне слилось воедино — и общий их путь впереди теряется в непроглядном тумане.

Глава 6

На четвертый день она отдыхала

Вероятно, вы с детства знаете притчу о том, как Солнце поспорило с Ветром:

— До чего же ты нежное и слабое! Вот давай померяемся силами. Я докажу свое превосходство! — бахвалился Ветер.

— Отлично, — ответило Солнце. — Видишь того путника? Давай посмотрим, кто из нас скорее снимет с него пальто.

Ветер рассмеялся над такой пустяковой задачей и стал что было сил дуть на путника, терзая его старую одежду. Но чем яростнее он трепал обветшалое сукно, тем плотнее путник старался завернуться в свое пальтишко. Чем сильнее дул Ветер, тем крепче пальцы человека впивались в спасительную ткань. Нет, никак не получается сдуть с путника пальто.

Наконец Ветер выбился из сил и с протяжным свистом утих. И тогда на путешественника обратило свой лик ласковое солнце…

Нечто подобное произошло сегодня со мной. Дул сильный ветер, и ничто не заставило бы меня взлететь.

На фотографиях не очень хорошо видно, но все же при желании можно разглядеть красно-желтые ленточки под крылом у *SeaRey*. В безветрие они свисают вертикально вниз, а когда ветер разгоняется до 20 миль в час, трепещут, словно в полете, хотя самолет стоит на месте. Что делать?

На одном моем плече сидит ангел:

— Ты пока еще только осваиваешь этот самолет, Ричард, так что неразумно вылетать при ветре сильнее десяти миль в час. Позже, шаг за шагом набравшись опыта, ты сможешь летать и при более сильных ветрах. А пока сиди дома.

Голос с другого плеча:

— Проще пареной репы, дружище! Ты ведь хочешь взлететь в это синее небо! Так лови же момент! Кто не рискует, тот не пьет шампанского! Смелость города берет! Ангелы трусят, и их можно понять: ведь они далеко не так хороши в полете, как ты. Ты у нас бравый летчик-истребитель или кто?

Если бы я несколько лет назад не вступил в клуб «Капитан Цыпа»*, то мог бы и внять увещеваниям дьявола. Однако, вспомнив клятвы, которые я дал при вступлении в этот элитный орден летчиков, а также свой вчерашний неуклюжий взлет, я все же выбрал путь праведности.

---

* Капитан Цыпа (*Captain Chicken*) — трусоватый персонаж знаменитого аниме-сериала «Жемчуг дракона». — *Прим. перев.*

Но вскоре после того, как я принял это Верное Решение, в небесах раздался отдаленный рокот, становившийся с каждой секундой все громче и громче:

На сцену вышел единственный и неповторимый Кермит Уикс на своем аэроплане *Sikorsky S-39* 1926 года выпуска. Он отрабатывал свои первые приводнения на этом антикварном аппарате, не обращая ни малейшего внимания на ветер, который так напугал меня!

Да уж, безупречно подобрал время, чтобы я почувствовал себя маленьким глупым плаксой! Я с укором взглянул на своего ангела, и тот невозмутимо кивнул:

— *Sikorsky* в девять раз тяжелее, чем *SeaRey*, мой дорогой. Большому летучему кораблю Кермита нипочем бурные волны, которые были бы гибельны для твоей малышки ́*Rey*!

— Он станет дразнить меня тряпкой, — кисло промолвил я.

— Вполне возможно. Но если Кермит назовет тебя так, спроси, сколько ангелов-хранителей он сменил за свою жизнь — сколько из нас с негодованием упорхнули с его плеча? Знаешь ли ты, как он взлетал в Квиксильвере с протекающими поплавками и вся накопившаяся в них вода мгновенно перетекла в их заднюю часть, едва он оторвался от воды, — и самолет повис в десяти футах над водой носом вверх? А рассказывал ли он о своей замедленной бочке почти над самой землей, когда отвинтившийся болт заклинил элероны на истребителе *Spitfire*? А упоминал ли он тот случай, когда…

— Можешь ли ты, о Ангел, хотя бы сделать так, чтобы сразу после приводнения его мотор заглох от брызг и Кермиту пришлось бы беспомощно болтаться посреди озера, пока на помощь не придет какой-нибудь катер?

— Ричард, — промурлыкал ангел, — мы не роем другому яму, а то сам знаешь…

Остаток дня я просидел дома, мастеря приспособление для стояночной блокировки руля. Покончив с этим, я отыскал на кухне пшеничные хлопья и залил их молоком — ужин. А затем я решил написать страницу-другую о том, сколь добродетельным чувствует себя человек

после того, как прислушается к голосу ангела, который отговаривает его от глупого желания взмыть в небо при порывах ветра до 40 миль в час и, возможно, разбить свой новенький аэроплан… Чем я, собственно, сейчас и занимаюсь.

Если за дни своей жизни я усвоил хотя бы один урок, вот он: *Когда мы ориентируемся в жизни на свою наивысшую правду, наш дух катится вверх легко и непринужденно. Но стоит согласиться на что-то меньшее, и колесики нашего скейта выезжают на корявую брусчатку.*

Сегодня на корпусе моей малышки *SeaRey* не появилось ни царапины, а все потому, что, когда на кону стоит ее жизнь, я обычно прислушиваюсь к голосу здравого смысла. И пусть моя рассудительность послужит достойным примером всем бравым летчикам-истребителям грядущих поколений, когда в их руках окажется судьба хрупкого гидросамолетика.

Надеюсь, что хоть такая польза от моей осторожности будет, ибо мне самому сейчас бесконечно тоскливо сидеть на земле и слушать голос ветра. А ведь мы еще даже не начали свой полет домой.

Глава 7

Все понимают, что сейчас вет-ре-но!

Если вы захотите привлечь внимание пилота, скажите: «Порывы до…», а затем добавьте число вроде сорока. Поймав сосредоточенный взгляд собеседника, вы можете сменить тему и дальше говорить о чем угодно. Контекст не имеет значения. Просто произнесите эту фразу и посмотрите, что получится.

Именно таким вот образом метеорологи завладели моим вниманием — а также вниманием всех пилотов в округе — сегодня, когда объявили, что во второй половине дня ожидаются порывы ветра до 25. Поскольку я новичок на SeaRey, им не пришлось даже говорить «…сорок два…», чтобы я стал похож на оленя в свете фар. «Двадцать пять» — это скорость ветра в морских узлах, поэтому умножаем на 1,15 и получаем 30 миль в час — а это уже должно меня насторожить!

И вот я лихорадочно размышляю:

Если они не ошиблись с прогнозом, то никуда я полететь не смогу — мне будет не под силу даже совсем небольшой перелет до завода SeaRey, где я собирался познакомиться с Дэном Никенсом и полетать с Керри Рихтером… а ведь я уже пообещал, что буду у них. Я Бог знает как надолго застряну здесь в Уинтер-Хейвене под колпаком из ветра. Но поскольку в данный момент скорость ветра составляет всего десять миль в час, почему бы мне не полететь к ним прямо сейчас, вместо того чтобы ждать до завтра.

Сказано — сделано. Через считаные минуты я на берегу: расчехляю кабину и моторный блок, проверяю основные узлы перед полетом, гружу на борт свой багаж.

30

Нежные игры Жизни и Смерти. Путешествия с Пафф

Сорок минут спустя я уже смотрю с воздуха на «столицу американской гидроавиации», городок Таварес (Флорида)*. Уютный поселок на берегу озера, жители которого согласились впустить гидросамолеты в самый центр города! Вскоре после того, как было принято это решение, в Таваресе стали проходить слеты любителей гидроавиации, а затем в город потянулись туристы — и экономика пошла в гору. Поскольку все другие расположенные на воде города равнодушны к гидросамолетам, куда еще ты поедешь на выходные, если захочешь полетать между небом и водой?

В Таваресе как раз проходит очередной слет гидросамолетов, но на момент моего прибытия ветер стал усиливаться, поэтому две дюжины летчиков спешно спустились с небес и закрепили свои летательные аппараты на берегу. Мы с ´Rey стали кружиться над волнами озера.

— Что скажете, мэм? (Я пока еще не дал имени своему самолетику.)

— *Ветрено.*

— Хм, — ответил я.

Воду прочерчивают длинные белые полоски — барашки на волнах озера Дора. В небе — в тысяче футов над озером — нам обоим пока что комфортно, но вода внизу уже стала не слишком приветливой.

— *Попутно-боковой ветер при заходе на пандус.*

— Угу. Приятного мало.

— *А пандус не очень-то широкий.*

— Верно, — ответил я, — не широкий.

— *Ричард, буду с тобой откровенна: мне страшно. Так и представляю себе, как бьюсь крылом о… видишь, вон те металлические ограждения слишком близко к въезду? Если ветер помешает нам зайти на пандус безупречно, я могу пораниться.*

— Вы, мэм, не верите в мою безупречность?

Молчание.

— Ну что ж, — сказал я, — тогда давай попробуем в другом месте, и если будет получаться плохо, приземлимся на аэродроме.

— *Спасибо.*

Она рада, что я вспомнил… ведь она — амфибия, а потому у нас есть выбор.

Мы пролетели милю-другую на юг и приблизились к заводу *SeaRey*, который расположен на берегу озера поменьше, чем Дора, и волны там

---

* *America's Seaplane City* — «Столица американской гидроавиации» — официальный лозунг Тавареса. — *Прим. перев.*

пока еще не такие большие. Под нами проплывают корпуса, где произвели мою амфибию. Произвели, затем по частям загрузили в ящики и отправили первому хозяину — чтобы он собрал ее сам.

— Узнаешь родной дом? — спросил я.

— *Я его не помню. Все как в тумане. Я была всего лишь набором для сборки.*

— Ну что? Зайдем на посадку?

— *Здесь ведь нет пляжа, Ричард.*

— А пандус?

— *Он узкий. Да еще и крутой. Если я свалюсь…*

— Думаю, у нас получится.

Амфибия некоторое время молчит. Мы сделали круг. Внезапно она решительно заявила:

— *Я тоже думаю, что получится.*

Мне было очень приятно услышать это от нее.

Я потянул *РУД* на себя. «Это будет посадка на *ВОДУ*, — произнес я и посмотрел на индикаторы шасси. — Левое шасси *ВВЕРХ*, хвостовое шасси *ВВЕРХ*, правое шасси *ВВЕРХ*. По индикатору все шасси *ПОДНЯТЫ* для посадки на *ВОДУ*». Затем я отжал тумблер закрылков и удерживал его в течение трех с половиной секунд, проверил, что закрылки действительно опустились одновременно со снижением скорости, затем *ВКЛЮЧИЛ* вспомогательные насосы. «Закрылки на двадцать, вспомогательные насосы *ВКЛЮЧЕНЫ*. Это посадка на *ВОДУ*, поэтому все шасси *ВВЕРХ*».

Под шепот пропеллера за спиной я устремил нос самолета вниз. Озерная гладь накренилась и ринулась навстречу. «Ближе к воде, Ричард, — сказал я себе вслух. — Теперь нос чуть вверх…» Был ли тому виной внезапный порыв ветра или моя ошибка, но ´Rey опустилась быстрее, чем я хотел, — плюхнулась в воду, отскочила на несколько дюймов, снова опустилась, мягко скользнула по гребешкам волн и превратилась в неспешный катер, с тихим урчанием рассекающий воду.

Я нажал правую педаль поворота, но ветер оказался слишком сильным, так что маленькая амфибия не смогла послушаться руля и вильнула носом влево — словно флюгер. Я позволил ей и дальше поворачивать в этом направлении, потом нажал левую педаль поворота, усиливая изначальный импульс, и еще чуть-чуть поддал газу, чтобы продолжить разворот. Маневр оказался удачным: мы развернулись по ветру и направились в сторону пандуса.

Я включил микрофон:

— Кто-нибудь дома на *SeaRey*?

— …только что севший *SeaRey*? — услышал я через минуту.

Я был рад ответу, пусть даже он дошел до меня не полностью.

— *SeaRey* три-четыре-шесть папа-эхо. Мы хотели бы въехать на пандус, если можно.

— Он узковат, — ответил собеседник, — к тому же вам придется хорошенько поддать газу, чтобы на него взобраться.

У верхней кромки пандуса появилась фигура с портативным радиопередатчиком в руке. Это был Керри Рихтер, президент компании *Progressive Aerodyne*, выпускающей *SeaRey*. Поскольку Керри ждал меня только завтра, он недоумевал, что это за незнакомец к нему пожаловал. В любом случае он искренне надеялся, что мне удастся подняться по пандусу — кто бы я ни был.

— Вам нужно взять длинный разгон по прямой, делая поправку на ветер, а перед самым въездом выжмите газ, чтобы хватило мощности для подъема.

— Родж, — сказал я (что является сокращенной формой от «роджер», что, в свою очередь, означает «Я понял»… Мне нужно говорить кратко, потому что я как раз делаю заход на пандус и моя амфибия опасается, что я промахнусь при таком-то ветре и она поранится, свалившись с высоты в шесть футов).

Я выпустил шасси и нашел правильное сочетание тяги и поворота, чтобы направить свою ´Rey прямо на пандус. Если бы я потерял контроль и она попала во власть ветра, веселого было бы мало.

Сталь пандуса вздымается из воды в ста футах от нас… в семидесяти футах. Я дал рычаг газа немного вперед, и ´Rey припустила чуть быстрее. Едва колеса коснулись металла под водой, как я еще поддал газу. Мотор взревел. Роняя воду с колес и с корпуса, амфибия поднялась из озера, на глазах превращаясь в сухопутное существо. Правая сторона пандуса была мне не видна, но я надеялся, что если буду удерживать левое колесо в паре футов от края, то и с правым все будет в порядке.

´Rey молчала, затаив дыхание, и даже зажмурилась, пока мы с ревом поднимались по наклонной плоскости.

Наконец пандус закончился — мы выскочили на ровную площадку. *РУД* на себя, и вот мотор уже ровно гудит на холостых оборотах. Мы вкатились на стоянку и застыли под солнцем и свежим ветром — так уверенно, как будто совершали этот маневр каждый день.

Она глубоко и долго вздохнула:

— *Бог любит тебя, пилот.*

Рядом с нами на стоянке стояла вторая *SeaRey*, а в большом ангаре неподалеку — еще дюжина. Самолетики на всех стадиях производства — некоторые подготовлены к упаковке, чтобы отправить заказчику для самостоятельной сборки, а некоторые собранные и готовые к полету. Я заглушил двигатель, и *´Rey* крепко заснула.

В последний раз я летал вместе с Керри год назад — и тогда я мог лишь смутно предполагать, что когда-нибудь прилечу к нему сюда на таком вот гидроплане.

— Привет, Ричард. Смотри-ка, какой классный самолетик ты себе раздобыл! — он заглянул в кабину, осмотрелся, обратил внимание на некоторые конструктивные доработки. — Здо́рово! Джим Рэтти поработал на славу. Тебе достался отменный аппарат.

Приятно было это слышать. Я позвонил Дэну Никенсу — сказать, что я прибыл немного раньше, чем планировалось. Я не встречался с Дэном лично, но разговаривал с ним годом раньше — он часами отвечал на мои вопросы по поводу самолетов *SeaRey*. Тот же Дэн летал по моей просьбе в Валкарию, чтобы осмотреть самолет, прежде чем я приеду покупать его. Он сообщил мне, что аппарат собран на совесть и реально стоит дороже запрашиваемой цены. И вот наконец я познакомлюсь с Дэном лично.

Он подошел через пару минут. Спокойный джентльмен высокого роста — своей открытостью и доброжелательностью он напомнил мне любимого учителя из старшей школы.

— Ты это сделал! — сказал он, потрепав мою амфибию по крылу. — Ты ее полюбишь. Осмелюсь предположить, она тебе уже нравится.

— Верное предположение, Дэн.

Остаток дня растаял в трапезе и беседах. Наступил вечер — и вот я здесь, в тихом старинном отеле на склоне горы Дора, уже предвкушаю пробуждение ранним утром. Начиная с завтрашнего дня Керри и Дэн проведут со мной продвинутый инструктаж по управлению *SeaRey*.

Если за дни своей жизни я усвоил хотя бы один урок, вот он: *Если мы хотим приключений, никто не может обеспечить их нам, кроме нас самих.*

Глава 8

Новости
плохими не бывают

У меня есть хорошие новости, плохие новости и опять хорошие — так что пусть вторая часть этой расхожей реплики не пугает вас так, как в определенный момент испугался я сам. Все у нас в порядке после дня продвинутого инструктажа с Дэном, в результате которого моя кривая обучения задралась почти вертикально вверх.

Я сотни раз слышал это от других людей, а теперь могу и сам подтвердить: для пилотирования амфибиями *SeaRey* требуется отдельный инструктаж — только тогда твои полеты будут приятны и безопасны. Обучение несложное, но, сколь бы безобидной ни казалась тебе эта милая крошка и будь ты хоть капитаном аэробуса, тебе непременно нужно некоторое время, чтобы изучить ее повадки. Потом ты еще не раз себе спасибо за это скажешь.

О Боже, с чего же начать? Начну с самого утра. По дороге на завод *SeaRey* я купил себе пластиковую бутылочку апельсинового сока. Мне так хотелось подкрепиться, что по дороге к кассе я успел осушить ее наполовину.

— Доллар пятьдесят девять центов, — сказала кассирша.

— Но здесь же только половина! — возмутился я.

Девушка улыбнулась и приняла мои два доллара.

Мы вытолкали мой самолетик из ангара, и Дэн уселся в правом кресле (место для второго пилота и инструктора). Воспользовавшись минуткой тишины перед запуском двигателя, он произнес:

— Перед полетом я хочу тебе кое-что сказать.

— Да, сэр, — ответил я, сам удивляясь, почему так официально.

— Хочу, чтобы ты знал: я понимаю, что это твой самолет. И я не прикоснусь к средствам управления, если ты сам меня об этом не попросишь.

Никогда не слышал такого заявления от летного инструктора, и сам, обучая пилотов, никогда ничего подобного не говорил. Вам нужен мгновенный индикатор характера? Если инструктор с самого начала проявляет такую учтивость, можно не сомневаться, что предстоящий совместный полет будет вам в радость.

— Да ладно тебе, Дэн, если я вдруг почему-то войду в перевернутый плоский штопор, то буду только благодарен, если ты перехватишь управление. Если заметишь, что у меня проблемы, просто скажи: «Самолет мой» — и спасай ситуацию.

Он кивнул без улыбки. Позже мне предстояло убедиться, что у Дэна богатое и тонкое чувство юмора, но на подобные темы он не шутит.

— Я понял. Ты дал мне разрешение делать это в случае необходимости, — заключил он.

Мне стало любопытно, что за история побудила его сделать такое вступление, но я не стал расспрашивать.

Запустив и прогрев двигатель, мы покатились вниз по пандусу — медленно, медленно… *SeaRey*, словно танцовщица, идущая по натянутому канату к сцене.

Затем Дэн попросил меня еще немного прогреть двигатель на воде. «Необычно, — подумал я, — ведь мы могли бы сделать это и на суше. Между тем это более предупредительно в отношении окружающих».

— Это будет взлет с *ВОДЫ*, — проговорил я. — Левое шасси *ВВЕРХ*, хвостовое шасси *ВВЕРХ*, правое шасси *ВВЕРХ*, индикаторы указывают, что шасси *ПОДНЯТЫ*, закрылки на 20, вспомогательные насосы включены, триммера установлены. Готов к взлету, Дэн?

— Всегда.

Я дал рычаг газа вперед. Маленькая амфибия скользнула по воде и поднялась в воздух. Я проговорил последовательность послевзлетных операций.

— Я понимаю, что ты щадишь мотор, — сказал Дэн, — но на малых скоростях… ты ведь слышал, что при взлете на пропеллер попадает вода?

Я отрицательно покачал головой. Не обращал внимания.

— Нужно по возможности избегать попадания брызг на пропеллер. И если ты будешь давать газ так же плавно, но только чуть быстрее, это будет хорошо для пропеллера.

«Конечно», — подумал я. Когда мне объясняют причины необходимых действий, все запоминается намного лучше.

Через несколько минут мы были над озером Апопка — огромным, но мелким круглым водоемом. Из-за того что озеро мелкое, водная гладь покрыта длинными белыми барашками, хотя волны были совсем небольшие. Мое первое приводнение прошло гладко.

— После того как ты оторвался от воды, не нужно давать усилие на *РУС* вперед или назад, — сказал Дэн. — Просто позволь ей самой выбрать положение, и все будет в порядке.

Мы плыли по безмятежной глади под тихое урчание двигателя.

— А сейчас я хочу, чтобы ты потянул *РУС* на себя при скорости около пятидесяти миль в час. Резко возьми рычаг на себя. Самолет подскочит в зону экранного эффекта и стабилизируется там, после чего можно набирать скорость уже в воздухе. Благодаря такому маневру ты сможешь оторваться от воды немного быстрее.

«Экранный эффект» (*Ground effect*) возникает, когда мы летим над поверхностью на высоте, не превышающей половины размаха крыла. Дэн объяснил, что на экранном эффекте можно лететь многие и многие мили, при этом двигаясь быстрее, а топлива расходуя меньше. И тогда я вспомнил, что и Чайка Джонатан усвоил эту истину на раннем этапе своего обучения.

«Как долго еще моя жизнь будет перекликаться с его жизнью?» — спросил я себя.

«*Не очень долго*», — пришел ответ.

Я испробовал этот взлет с подскоком, и у меня получилось. На лице моем расплылась улыбка. Никогда прежде ничего подобного не делал.

— А сейчас, — сказал Дэн, — я хочу, чтобы после посадки ты сбросил скорость примерно до тридцати миль в час, а затем резко нажал на педаль поворота, чтобы аппарат развернуло поперек направления движения для быстрого торможения. При этом, естественно, следи, чтобы крылья оставались горизонтальными.

Этот маневр показался мне излишне агрессивным, но едва мы замедлились после следующего приводнения, Дэн закричал:

— *Поворачивай! Поворачивай!*

Я стиснул зубы и резко нажал на педаль левого поворота, удерживая крылья в горизонтальном положении при помощи противоположного элерона. Мир резко крутанулся в облаке брызг. Мы затормозили почти мгновенно, а затем тихонько заскользили вперед.

— Это на случай, если тебе нужно резко остановиться, — сказал Дэн. — Естественно, этого не следует делать при большой волне.

Мы снова взмыли в воздух. Мой следующий урок состоял в том, чтобы приводниться в мелких прибрежных водах неподалеку от ресторанчика *Tiki Bar*. Имея достаточный запас хода после приводнения,

´Rey выкатилась на пляж, развернулась лицом к озеру и замерла на сухом песочке.

Я заглушил двигатель.

— Пообедаем? — спросил Дэн.

Мы перекусили, поглядывая на стоящую посреди пляжа амфибию, — ни тебе взлетной полосы, ни рулежных дорожек, ни диспетчерской вышки… только она на песке.

Над головой сделала круг еще одна *SeaRey*, опустилась на воду, вырулила на берег и припарковалась неподалеку.

— Обычное дело, — заметил Дэн, — стоит припарковаться на бережку, как тебя замечает другая ´Rey и садится рядом. — Он улыбнулся. — Это весьма популярный ресторанчик, пилоты любят сюда заглядывать. Вот, посмотри: они здесь даже ветроуказатель для нас установили.

После обеда мы подыскали небольшой аэродром с мягкой травяной поверхностью, чтобы отработать взлет-посадку. На этот раз ´Rey вела себя образцово: не скакала мячиком по полю ни при взлете, ни при приземлении. После третьей посадки Дэн попросил остановиться и высадить его из аэроплана, чтобы я мог попрактиковаться с самолетом без его веса на борту. Заодно он хотел сделать несколько снимков моего приземления.

Она безупречна. Плавно и мягко приземляется на три точки и легко катится по зеленому полю, превращаясь из небесного зверя в земного.

Снова полная остановка, чтобы взять Дэна на борт, и мы полетели обратно к фабрике. По пути я старался попасть в восходящие потоки под кучевыми облаками, чтобы они помогали нам подняться. Ощутив напор и теплое дуновение восходящего ветра, Дэн спросил:

— Ты летаешь на планерах?

— Летал, — ответил я. — Такие навыки не забываются.

Он кивнул.

— Установи обороты около 3800 — это даст самолету вертикальную скорость планера. Иногда я могу летать полдня, почти не расходуя топлива.

Мы некоторое время поохотились за восходящими потоками, позволяя теплому воздуху поднимать нас вверх под ленивое шуршание пропеллера за нашей спиной.

— Полетаем на малых скоростях? — предложил я.

— Давай.

Я отжал *РУД*, замедлив *′Rey* до 50, 45… 40 миль в час.

— Выполнял когда-нибудь на этом самолете сваливание на подъеме?

Я отрицательно покачал головой.

— Можешь задрать нос и дать полный газ. Скажешь мне, когда начнется сваливание.

Я сделал, как он предложил, но *′Rey* не ушла в сваливание — не сорвалась со слишком крутого подъема, как это было бы практически с любым другим самолетом. Вместо этого она упрямо ползла вверх со скоростью 30 миль в час, набирая по две сотни футов в минуту.

— Чтобы выполнить сваливание на полном газу, — сказал он, — тебе нужно поставить ее почти вертикально. А если просто вот так задрать нос и аккуратно вести ее вверх, она будет карабкаться хоть целый день.

Каждое из этих событий — из этих учебных прорывов — заставляло меня еще больше полюбить свой самолет-малышку. До чего же много она умеет! В течение почти двух часов, пока шел наш урок, фонарь был открыт. А при взлетах с воды через открытый фонарь на пилота попадают прохладные капли — на волосы, на рубашку — освежающая жидкая радость.

Мы приводнились на заводском озере и круто развернулись, обратившись носом к корпусам. Затем на малой скорости *′Rey* подошла к пандусу.

— Пандус узковат, — сказал Дэн, — мне видно правое колесо, а тебе нет... Может быть, позволишь мне завести самолет на площадку?

Вспомнив наши вчерашние приключения на пандусе, я с радостью согласился:

— Давай, Дэн. Аэроплан твой.

— Управление принял, — сказал он и выпустил шасси.

Мы приблизились к железному склону, и тут случилась неожиданность... В мелкой воде шасси наскочили на подводную песчаную насыпь, и одно колесо промахнулось мимо пандуса. ´Rey, вздрогнув, остановилась.

— Не страшно, — сказал Дэн, — сейчас я выйду и столкну тебя обратно в воду. Без меня машина станет легче, и ты сможешь заехать.

Он выбрался из кабины, прыгнул в мелкую воду, и ´Rey сразу же приподнялась на волнах. Дэн оттолкнул нас на глубину, и мы по большой дуге пошли в озеро, чтобы совершить новый заход на пандус. Едва мы остались наедине, амфибия заговорила.

— *Ты что творишь?!* — ее голос в моей голове дрожал.

— Мы делаем заход на пандус, мэм.

— *Мне не... я не... он слишком узкий...*

— Да не волнуйся ты, — отмахнулся я. — Мы ведь уже сделали это вчера.

— *У меня плохое предчувствие.*

— Все будет хорошо.

— *А нельзя ли выбраться на сушу в другом месте? На пляже?*

— Мы дома! Тебя здесь создали!

— *Ну пожалуйста!*

— Спокойно, юная леди, — сказал я, — закрой глаза, и мы через минуту будем в ангаре.

Она замолчала.

Я направился в сторону завода. В хвост нам дул легкий ветерок. В шестидесяти футах от основания пандуса я нажал на рычаг газа, и *´Rey* устремилась вверх по пандусу. Я очень старался, чтобы для правого колеса было достаточно места, и в результате с железной дорожки соскочило *левое*.

Я услышал душераздирающий скрежет, потом хруст, амфибия накренилась вбок, вздрогнула и застыла.

Я мгновенно заглушил мотор и выключил главный тумблер, чтобы обесточить все электроприборы.

— Черт! — я просто не верил в произошедшее. — Черт побери, Ричард! Черт, черт, черт — что ты наделал!

С отключенным двигателем и электропитанием моя малышка не чувствовала боли. Теперь это было всего лишь механическое тело, стоящее наполовину на пандусе, наполовину вне его.

Дэн вихрем подлетел к аэроплану.

— Не стоит так расстраиваться, — сказал он, — это легко чинится. Нам нужно только поднять ее...

— О, Дэн, я такой...

«Черт, черт, черт! Ричард, ты неуклюжий тупой косорукий...»

— В самом деле, Ричард, говорю же тебе, для *SeaRey* это не проблема! Она легонькая! Оглянуться не успеешь, как будет снова в строю!

Частью сознания я понимал, что злиться на себя бессмысленно. Это не поможет ни мне, ни Дэну, ни тем более малышке *´Rey*... Хорошо хоть сейчас она под анестезией — спит, без движения завалившись на бок. А другая часть меня была несколько удивлена: почему это Дэн так спокойно отнесся к моей аварии? Почему его ничуть не обеспокоило крушение аэроплана? В голове промелькнула мысль: «Нет беды, которая не может превратиться в благословение...» — но я тут же отогнал ее, полностью загипнотизированный иллюзией, что мой самолет превратился в груду обломков.

Я выбрался из кабины такой же разбитый, как моя ´Rey. Даже более разбитый, как выяснилось. Сама-то она выглядела не так уж и жалко.

«Во всяком случае, — подумал я, — ты уронил ее на низком участке пандуса, так что колесо сорвалось всего лишь на один фут и попало в грязь. Бог хранит дураков… Черт тебя побери, как ты мог сделать с ней такое!»

— Кажется, еще и поплавок поврежден, — сказал Дэн не слишком озабоченно.

Естественно, левый поплавок разбился о кочку, а стойка искорежилась и поломалась!

Дэн прекрасно понимал, что чувствую я — человек из мира тяжелых дорогих летательных аппаратов. Если бы речь шла об обычном самолете, ремонт занял бы недели.

— Радуешься, что у тебя *SeaRey*?

— Радуюсь, конечно, но разве ты не видишь…

— Ричард, это *ты* не видишь. Я знаю, тебе кажется, что у тебя проблема: ты съехал с пандуса и погнул стойку. Но поверь мне: это пустяки!

Мы нашли длинную доску и, используя ее в качестве рычага, подняли колесо на пандус.

— Сейчас я собираюсь столкнуть аэроплан обратно в воду, затем заехать на пандус и завести в ангар. Ты не против?

— Нет, Дэн, я против! Я хочу сам поднять ее по этому пандусу.

Такой вот извращенный нервный юмор… В действительности предпринимать новую попытку я хотел меньше всего на свете. Но Дэн не заметил иронии.

— Конечно. Хорошо, Ричард. Когда будешь делать новый заход на пандус…

— Дэн, я пошутил! Естественно, я хочу, чтобы ее вел ты!

Он рассмеялся — как мне показалось, с облегчением, — затем вывел ´Rey из воды и передал в руки людей, которые ее создали.

Они в считаные минуты заменили стойку.

— Кто-то назвал бы это совпадением, — задумчиво проговорил Дэн, — а кто-то считает, что подобные вещи не происходят случайно…

(А дело в том, что, если бы не моя авария, мы не осмотрели бы заднее шасси. А если бы мы не осмотрели заднее шасси, то не обнаружили бы, что одна из гаек почти отвинтилась в результате моих неуклюжих учебных посадок. Ничего опасного, но если бы эта гайка отвинтилась где-нибудь посреди Нью-Мексико, это могло бы доставить мне немало хлопот.)

— Между прочим, — сказал Дэн, затягивая гайку, — розничная цена стойки, которую мы заменили, — всего лишь двадцать три доллара!

Любой сколько-нибудь опытный авиатор может оценить стоимость ремонта по звуку, раздающемуся во время аварии. Звук, который услышал я, потянул приблизительно на 2600 долларов. Теперь я понял, что мне нужно заново откалибровать свой слух с учетом легкости и простоты аппаратов *SeaRey*.

Дэн оказался прав: авария была пустячной. Я взял обратно несколько «чертей», которых упомянул, когда ругался, зато оставил на месте большинство «дураков».

Я с самого утра думал, что сегодняшний день обещает быть интересным, — и мои ожидания оправдались. На закате Дэн сказал мне:

— Я давно хотел слетать в Сиэтл на своей ´*Rey*. Ты тоже скоро полетишь туда же. Не возражаешь, если я присоединюсь?

Если за дни своей жизни я усвоил хотя бы один урок, вот он: *В момент, когда происходит то или иное событие, невозможно определить, хорошее оно или плохое. А окончательная правда открывается нам лишь тогда, когда мы осознаём: в долгосрочной перспективе всё — к лучшему.*

Глава 9

Маленькие секреты 'Rey

ы с Керри договорились встретиться в девять утра, поэтому в 8:30 я зашел в магазинчик на заправке — купить себе утренний напиток. Я думал, что покупаю молоко, но на вкус оказалось нечто иное — и только тогда я заметил надпись «Ваниль» там, где ожидал увидеть «Молоко». Более подробно вчитываться в этикетку я не стал, а только отметил про себя один важный факт, который просто обязан довести до сведения общественности: когда бутылка белого цвета стоит на полке с молоком, не стоит хватать ее не глядя — если только ты не готов довольствоваться ванильным коктейлем.

Я прибыл на место раньше времени и пошел по траве к Дьявольскому Пандусу, где меня вчера постигло мимолетное огорчение, сменившееся нескончаемой радостью. Там еще сохранялись следы нашего приключения, глубоко впечатанные в грязь. Мне подумалось, что эти следы вполне могут окаменеть и просуществовать сотни миллионов лет, чтобы когда-нибудь послужить доказательством того, что за многие тысячелетия лет до эры Мышиного Господства на нашей планете существовала некая двуногая форма жизни.

С неба донесся шепот пропеллера. Задрав голову, я увидел *SeaRey* Дэна Никенса. В утренней тишине я впервые осознал, насколько же тихи эти машины. Его аппарат по плавной дуге спланировал с высоты и бесшумно, как перышко, сел на озерную рябь.

Затем он направился к Адскому Пандусу. Его девственное левое крыло приближалось к стене берегового уступа, образовавшегося в результате понижения уровня воды в озере. В шестидесяти футах от берега мотор взвыл, белая водная пена поползла вниз по округлым бокам самолета, и вот они уже поднимаются по Пандусу Смерти — Дэн и его аэроплан. Левый поплавок слегка задел земляной уступ берега, и на белоснежной поверхности осталась черная полоса.

От этого зрелища я поморщился — хотя ничего, к счастью, не сломалось.

Керри подошел в тот самый миг, когда Дэн заглушил мотор и выбирался из кабины.

Было неловко заводить этот разговор, но кто-то должен был:

— Керри, Дэн, выслушайте меня. Я — лягушка из другого пруда, и как раз потому замечаю то, что могло ускользнуть от вашего внимания, ведь ухудшения происходили постепенно… Уровень воды в озере падает медленно — возможно, каких-нибудь четверть дюйма в день. Но результат налицо: если, поднимаясь по пандусу, даже такой опытный пилот, как Дэн, задевает берег поплавком — это уже ни в какие ворота не лезет!

Керри кивнул.

— Нужно будет что-то с этим сделать. Возможно, расширим пандус. Вот только это отнимет пару дней… — сказал он с легкой досадой, как и подобает руководителю авиастроительной компании, для которого лишить свое предприятие доступа к воде на целых два дня весьма проблематично.

Керри скользнул на правое сиденье моего самолета, я запустил мотор, мы покатились вниз по *Rampa del Diablo** — и правый поплавок опять проехался по земле.

Дэн спустился на озеро еще раньше нас, и теперь обе амфибии, как уточки, описывали круг по воде. Затем мы взмыли, подняв идентичные облачка белой водяной пыли, и над лугами устремились на юг. Керри вел мой аэроплан, а самолет Дэна парил чуть выше, заслоняя нас от солнца, пока сам он делал снимки.

Затем мы приступили к обучению.

Orlando North — бетонная взлетная полоса, сориентированная с запада на восток. Ветер дул с юга — безупречно поперечный. Однако я настолько уверился, что между мною и *'Rey* наконец завязалась дружба, что приземление на жесткую поверхность при поперечном ветре меня почти совсем не пугало. Что пилот думает о взлетно-посадочной

---

* Чертову Пандусу (*исп.*)

полосе, то он и получает: мы с моей малышкой раз за разом совершали безупречные приземления в обоих направлениях — девочка-самолетик садилась на бетон мягко и катилась прямо.

Керри был все время настороже: а вдруг все-таки причиной моих прошлых проблем было не неисправное хвостовое шасси, а сам пилот?

— Лучше стало? — спросил он.

Я на секунду убрал с лица улыбку, чтобы произнести:

— Гораздо!

Затем мы направились на юг для отработки посадки на воду. В коллективе *SeaRey* Керри имеет репутацию наилучшего пилота… Он налетал на этом одном самолете почти столько же часов, сколько я за полвека на аппаратах ста сорока разных моделей. Он постоянно совершенствует свой аэроплан, исключая из его конструкции недостатки других гидросамолетов, которые вполне могут убить пилота.

Так, например, после одного приводнения, когда мы мчались по волнам, словно скутер, Керри неожиданно отжал *РУС* до упора вперед — я даже закричать не успел.

Я ожидал, что после такого маневра машина зароется носом в воду и перевернется, кабина разлетится вдребезги, а нам самим придется судорожно выбираться из-под обломков перевернутого самолета. Вместо этого нос амфибии просто стал мячиком скакать на волнах вверх-вниз. Стоило Керри вернуть рычаг управления в нейтральную позицию, и подскакивание прекратилось. Инструктор объяснил, почему так получается, — что-то по поводу гидродинамических особенностей модели «С», но я не слишком запомнил технические подробности, поскольку в тот момент еще не оправился от «околосмертного опыта».

Мы еще минут десять зигзагами гоняли по озеру, оставляя на воде глубокий кильватерный след и вздымая облака брызг. Инструктор все это время рассказывал мне о приемах управления амфибией на виражах.

— Если в момент поворота ты опустишь нос и поддашь газу... ну давай же, подбавь газку... видишь, насколько более крутой получается поворот, когда киль зарылся в воду? А теперь подними-ка нос — и поворот станет более плавным.

Еще совсем недавно я не решился бы дать *РУС* вперед ни на дюйм. А теперь вот делал это — аккуратно, но уверенно, внимательно наблюдая, как меняется крутизна поворота. Я просто диву давался, насколько маневренной оказалась эта машина на высоких скоростях.

После часа упражнений на воде мы полетели домой, болтая о нраве аэроплана. Затем сделали круг в воздухе, чтобы зайти на посадку на короткую ось маленького заводского озера. Поначалу было странно видеть противоположный берег так близко (тем более что он стремительно мчался навстречу), но я уже научился не пугаться таких вещей — убедился, что ´Rey не требует много места для посадки. Я опустился к самой поверхности, она мягко коснулась озера, замедлилась и неспешно пошла по воде.

Я не горел желанием заходить на Пандус Отчаяния, поэтому Керри направил нас к поросшему травами берегу неподалеку от завода и вышел там.

— Спасибо, Керри! — сказал я, понимая, что он даже не догадывается, насколько глубока в действительности моя благодарность за сегодняшний урок.

Он улыбнулся и махнул рукой: «Не за что».

«Сколько раз он уже делал это? — подумалось мне. — Еще один оперившийся птенец с кряканьем уходит в небо, утопив свои страхи в глубинах вод».

´Rey спела маленькую песенку вместе с барашками озерных волн и радостно вспорхнула в небо. Мы прошли по дуге над заводом, и я в последний раз увидел Керри Рихтера, махавшего рукой в полутысяче футов под нами. Вскоре он пропал из виду. И сам завод скрылся за горизонтом позади.

«Сколько же жизней, сколько человеческих жизней навсегда изменил этот человек своими идеями… своими инженерными и дизайнерскими решениями?» — подумал я.

— *Мы тоже живые, не забывай об этом. Не будь его, не летать бы мне в небе.*

Услышав ее слова в своей голове, я даже вздрогнул от неожиданности. В последнее время я очень много летал в паре, беря уроки управления, — а она разговаривает лишь тогда, когда мы остаемся наедине. При одиночном полете невозможно не ощущать близость с самолетом. Мы нужны друг другу для полета, и из этой взаимной потребности рождается теснейшая близость между плотью и металлом.

— Простите, мэм, не хотелось бы торопить события и показаться фамильярным, но у меня возникло чувство, что я и вы… мы… не знаю даже, как сказать…

— *Мне нужно имя, Ричард?*

— Может быть, скорее, оно нужно мне, мэм? — спросил я с улыбкой.

Искрящаяся весельем пауза.

— *Пафф. Называй меня Пафф. Я — облачко… вроде бы еще здесь, но в то же время уже улетаю. Я — тихая мелодия, зовущая тебя ввысь… знакомая, но полузабытая. Я — след в воздухе, не видимый никому, кроме тебя, мой милый летчик. Я — жизнь, в реальность которой никто другой не верит.*

И я произнес, тихо-тихо, даже не пытаясь перекричать шум ветра, бьющего в кабину:

— Здравствуй, Пафф.

Если за дни своей жизни я усвоил хотя бы один урок, вот он: *Хочешь, чтобы твое время на земле было ярким и радостным? Высвободи свое воображение и поверь, что оно может поднять тебя над горами!*

Глава 10

Волны на озере, тройное крепление и грозы, которых может и не быть

На это утро у меня ничего не было запланировано. Я встал рано и вскоре после рассвета пошел поздороваться с Пафф. Я провозился с ней несколько часов: смастерил простенькие парковочные тормоза, переделал защелку ремня безопасности, с которой раньше приходилось слишком долго возиться, сходил в магазин, чтобы пополнить набор инструментов для ремонта, купил самоклеящейся пленки для обновления экстерьера, батарейки для наушников, пружинку для триммера на элероне… всякие мелочи, помогающие мне притереться к самолету, а самолету — ко мне.

Все утро был полный штиль, а к обеду — как раз когда я собирался отправиться в полет — поднялся ветер. Часа в два дня мы покатились по пляжу в сторону озера. Я почувствовал, как вес самолета переместился с шасси на корпус: Пафф превратилась в лодку.

Я поднял шасси, прогрел двигатель и направился к подветренной стороне озера, возле которой волны вздымались выше всего. Амфибия радостно бежала поперек ветра, и брызги от волн иногда залетали в кабину. Мне трудно заставить себя закрыть фонарь — так приятно ощущать на себе дуновение ветра в полете.

Нежные игры Жизни и Смерти. Путешествия с Пафф

Сегодня у нас остался только аварийный остаток топлива — всего восемь галлонов, на два часа лёта, хотя обычно я стараюсь, чтобы на момент возвращения из полета у меня всегда был по меньшей мере часовой резерв — тот критический минимум, за который лучше никогда не заходить. Я очень редко использую этот резерв — вопрос душевного спокойствия для меня, как и для большинства других пилотов.

(Я только сейчас понял, что обращаюсь к читателю как к заядлому авиатору: «...аварийный остаток топлива, порывы до сорока, четыре самых бесполезных знания для пилота: высота над твоей головой, длина взлетной дорожки позади тебя, количество топлива в заправочном грузовике и то, что произошло долю секунды назад». Возможно, покупая книгу, вы на все это не рассчитывали — но я ведь и не беру с вас дополнительной платы.)

Рычаг газа вперед (быстро вперед, Дэн... я не медлю с ручкой газа при взлетах с воды с тех самых пор, как ты сказал, что от этого вода попадает на пропеллер), и через девять секунд Пафф уже в небе.

Через пару минут она насторожилась, увидев барашки волн там, где я собрался отрабатывать посадку.

— *Ты ведь не собираешься приводняться здесь, правда?*

— Собираюсь, Пафф. Нам необходимо отрабатывать навыки посадки на волны.

— *Ты случайно не решил меня усыпить?*

Полагаю, у аэропланов тоже есть свой особый «черный юмор» — таким способом она спросила, не опасаюсь ли я, что мы разобьемся.

— Это совершенно нормальная процедура, Пафф. Посадка на волны — помнишь?

— *Нет.*

Я проговорил перечень операций:

— Это посадка на *ВОДУ*. Левое шасси *ВВЕРХ*, хвостовое шасси *ВВЕРХ*, правое шасси *ВВЕРХ*. По индикатору все шасси *ПОДНЯТЫ* для посадки на *ВОДУ*. Вспомогательные насосы *ВКЛЮЧЕНЫ*, закрылки на двадцать.

Она вовсе не ныла, просто несколько опасалась за мои летные навыки после аварии на Пандусе Отчаяния. Сбрасываем газ и планируем вниз. Сине-фиолетовая вода, и лишь изредка предупредительными знаками белые барашки на волнах.

Я зашел на посадку, как при обычном приводнении, — и прежде, чем мы коснулись волн, Пафф уже знала, что я сейчас сяду в лужу. Она ничего не сказала, но я почувствовал, как малышка напряглась, готовясь к удару… на скорости 55 миль в час вода не намного мягче бетона. Мы ударились о первую волну, подскочили вверх, снова подскочили, потом подскочили еще выше — я поддал газу, и мы взлетели, чтобы зайти на еще одну попытку.

— Вот это и есть наша посадка на волны? Вот так ты это делаешь — в точности как нормальное приводнение, с той лишь разницей, что мы скачем мячиком, а затем улетаем, вместо того чтобы оставаться внизу?

— Прости, Пафф, я не думал, что волнение такое сильное. А вот СЕЙЧАС мы приводнимся как следует.

Новый заход:

— Это посадка на *ВОДУ*. Левое шасси *ВВЕРХ*…

— *Неужели такой она и будет — наша совместная жизнь? Мы так и собираемся постоянно испытывать судьбу?*

Насколько я понял, она задала этот вопрос без вызова, без надежды что-то изменить. Ей просто было любопытно, чего ждать от будущего, и она чувствовала, что вправе спросить. Полагаю, амфибия удивилась, когда я улыбнулся, потому что вовсе не собиралась шутить.

— Я не думаю, что мы сейчас «испытываем судьбу», Пафф.

Мы развернулись и зашли против ветра. На этот раз я отчетливо помнил разницу между обычным приводнением и приводнением на волны: придержать самолет и выполнить сваливание на воду на самом малом ходу, чтобы не было отскоков.

И естественно, на малой скорости вода была мягче — Пафф плюхнулась в озеро и там осталась. Поскольку мы зашли против ветра, ее скорость в момент соприкосновения с волнами составляла не более 30 миль в час.

— *Уже лучше. У тебя действительно неплохие летные навыки…*

— Спасибо, Пафф.

— *…вот только ты не всегда ими пользуешься.*

Она права, эта амфибия.

Я дал рычаг газа вперед, и через считаные секунды мы опять были в воздухе.

Мы совершили еще пять или шесть приводнений, добившись того, что посадка стала даваться нам абсолютно легко, и я почувствовал, что мы справимся и с намного более суровой погодой.

Затем мы стали набирать высоту на полной мощности: я задрал нос и мы начали карабкаться вверх в режиме «подъем без сваливания», который не доступен практически никаким самолетам, кроме *SeaRey*.

Циферблат слева указывает скорость полета, по нему видно, что мы делаем 16 миль в час. В действительности скорость отличается от этого показателя, потому что при таком угле подъема прибор дает большую погрешность. Но даже с учетом погрешности мало аэропланов способны летать настолько медленно.

Затем мы перешли в горизонтальный полет и отправились домой, подгоняемые попутным ветром. День был теплым. Я летел с открытым фонарем и наслаждался прохладными прикосновениями влаги там, где при взлете на мою рубашку брызнули капли.

Волны на озере возле дома были не такими сильными. Снизившись над землями Кермита, где он устроил грандиозный музей-аттракцион «Фантазия о полете», мы стали высматривать его живописный биплан — и вправду заметили машину на взлетной полосе. На ее борт загружались пассажиры.

— Это посадка на *ВОДУ…* — сказал я.

Нормальная посадка при минимальном волнении, когда мы мягко опускаемся на воду, а потом поддаем газу, превращаясь в мчащийся к берегу скоростной катер.

Приблизившись к пляжу, мы замедлились и выпустили шасси, чтобы въехать на прибрежный песок.

— *Я начинаю к тебе привыкать. Спасибо, что не повел меня на пандус вчера. Я знаю, что тебя он тоже пугает после случившегося.*

— Ну, я бы не сказал, что так уж «пугает».

— *А я бы сказала.*

Берег был уже совсем близко.

— *Мы ведь поладим, правда?*

— Шасси выпущены для подъема на берег, — сказал я и улыбнулся. — Мы отлично поладим, Пафф.

Колеса коснулись песка под водой, я дал *РУД* вперед, и амфибия, словно Венера, стала вздыматься из вод, становясь выше и стройнее, чем она выглядела на поверхности озера. Развернувшись, она встала на предназначенном для нее месте, и через минутку я заглушил двигатель. «До чего же замечательный аэроплан», — подумал я в воцарившейся тишине.

«Вечером будут грозы», — объявил компьютер.

Итак, возможно, вечером будут грозы, поэтому я втрое крепче, чем обычно, привязал крылья и хвост своей Пафф к крепежным петлям на земле, закрыл фонарь и зачехлил мотор брезентом. «Она выдержит все что угодно, — подумал я. — Кроме, разве что, крупного града. Но града, вероятно, не будет — как, собственно, и грозы».

Если за дни своей жизни я усвоил хотя бы один урок, вот он: *Есть силы, способные разнести в хлам хлипкие декорации нашего зримого мира. Но нет сил, которые могли бы убить бессмертный дух нашей истинной сущности.*

Глава 11

Другая семья

П рошел год со дня моего первого демонстрационного полета на *SeaRey*. За это время силой мысли в моей жизни успела материализоваться Пафф — и вот мы вместе с ней находимся здесь, в Таваресе, в ожидании слета *SeaRey*.

После всех моих вчерашних приготовлений к громам и молниям грозовой фронт распался надвое — одна часть пошла на север, другая на юг, бросив нам всего несколько дождевых капель. Но я полагаю, сценарий, по которому мы подготовились к непогоде, а она прошла стороной, намного более оптимистичен, чем сценарий, в котором мы бы точно так же подготовились к непогоде, а она бы пришла и все равно раздавила нас в лепешку.

На рассвете мы наблюдали край грозового фронта далеко на востоке и предвкушали, как этим днем будем бороздить синее небо и синие воды, знакомясь с дюжиной других ´*Rey*.

Как оказалось, на пикничок слетелась не дюжина, а восемнадцать *SeaRey*. Пафф получила свою долю комплиментов: «До чего же славный аэроплан!» «Это машина Джима Рэтти?.. Он ее сработал на славу, верно?»

Потом мы летали, и если бы это фото было сделано двумя минутами ранее, вы увидели бы в небесах безупречные буквы из облаков — имя моей амфибии. Там и сейчас угадываются обрывки этих букв: ПАФФ.

А на этой фотографии запечатлена Пафф и ее сестра — предчувствие нашего будущего трансконтинентального перелета длиною в 3300 миль:

Терпение, стойкость, вера. Если за дни своей жизни я усвоил хотя бы один урок, вот он: *Всё приходит к тому, кто знает: то, что мы лелеем в мыслях, мы и увидим в своих воображаемых жизнях на наших картонных планетах.*

Глава 12

Экскурсия для Пафф

Сегодня утром Дэн позвонил мне в 10:30, когда я проводил предполетный осмотр своей Пафф — проверял проводку и крепления, мотор и пропеллер, желая увериться, что она готова к полету.

— Вот не знаю: то ли сходить на авиашоу, то ли просто полетать по окрестностям, — начал издалека Дэн. — Если ты скажешь: «Полетели», — значит, так тому и быть.

Ну разве не прекрасное приглашение? Полагаю, вы догадываетесь, что я ответил.

— Хочу показать тебе реку Святого Иоанна, — сказал Дэн. — Я сейчас заправляюсь. Встретимся в воздухе через час.

Он был на месте точно вовремя — как часы. Я занял место ведомого, и мы направились на восток, на наш с Пафф первый урок на реке. Я чувствовал, что Дэну не столько хочется показать мне реку, сколько узнать, действительно ли мы с Пафф готовы к перелету через всю страну.

Интересно, сколько часов Дэн и его борт 220WT (на языке пилотов эти буквы произносятся как «Виски-Танго») налетал на высотах менее сотни футов? А менее десяти футов? Для Пафф сегодня был ее первый час. Для нее это была совершенно новая жизнь — просто лететь вперед без всех этих экстремальных ситуаций — и ее маленькое сердце билось быстро и радостно.

— Я проголодался, — сказал мне Дэн по радио, когда позади были уже часы и мили. — Пообедаем?

— Подтверждаю, — сказал я.

Пилот не может просто ответить «Да», потому что радиопомехи могут исказить его слова и собеседник услышит «Нет» или «Не уверен». А «Подтверждаю» всегда звучит утвердительно.

Я наблюдал с высоты, как он зашел по дуге и сел на реку возле ресторанчика, предлагающего своим посетителям не только еду, но и прогулки на катерах. Это была моя первая продолжительная остановка с выходом из самолета во время посадки на реку. Дул легкий ветерок, волнения не было. Пафф немного боялась оставаться одна, пока мы будем обедать, но Дэн уже проделывал такое тысячи раз.

— Видя самолет, люди соблюдают дистанцию — проявляют уважение, — заметил он. — Вот только с девятилетними мальчишками нужно

держать ухо востро: так и норовят забраться в кабину и пощелкать переключателями.

БЕРЕГИСЬ!

Шутка. Во время своего полета мы заметили множество аллигаторов, но ни один из них не пострадал, когда мы делали это фото.

Пообедав, мы взмыли в небо и вскоре снова приводнились на реку. Вокруг ни души.

Многочасовый совместный полет порождает взаимное доверие. Пафф и 220WT — которую по-настоящему зовут Дженнифер — подружились.

Завтра будет большой слет на озере около «Фантазии о полете». Пафф предстанет там во всей своей красе, ну и я вместе с ней.

Сегодня мы с Паффстер летали в таких местах, в каких не бывали никогда прежде, — и мы быстро учимся.

Если за дни своей жизни я усвоил хотя бы один урок, вот он: *Не стоит слишком много думать о предстоящих уроках. Стремись к тому, что любишь больше всего на свете, и знания придут к тебе сами.*

Спасибо тебе, Дэн, от нас с Пафф за эту экскурсию и за обучение! Мало того что мне не пришлось ничего платить за четырехчасовое занятие, так инструктор еще и обедом накормил!

Глава 13

Экскурсия
для Пафф
(продолжение)

Она недовольна, что я назвал ее «Паффстер». Ей такое обращение кажется неуместным, фамильярным, вульгарным, беспардонным и грубым. В этом прозвище нет уважения, нет характера, нет шарма. Или мне совсем безразлично, что у нее на душе? Неужели я не мог проявить хоть немного такта и заботы? Я всю ночь не спал из-за этого случая, и теперь мне нужно публично принести свои извинения: «Прости меня, Пафф, я больше никогда не буду так тебя называть».

Мне вообще трудно понять, как к ней обращаться… Вообще-то большинство аэропланов женского рода — и все же мне никогда еще не доводилось летать на столь женственной машине.

А сейчас посмотрите фотографии нашего вчерашнего полета. Дэн летает на своей *SeaRey* по флоридской глубинке уже много лет, но и он получил от вчерашней прогулки не меньше удовольствия, чем мы с Пафф.

Этот снимок Дэн сделал с борта своей Дженнифер, оглянувшись назад. Здесь Пафф впервые озирает новый для нее мир.

Маленькая Пафф и огромный дикий простор.

Совершенно дикий простор!

Пустынные пески.

Дэн и Дженнифер только что сели на реку (неподалеку от аллигатора), а Пафф пока что не решается присоединяться к ним.

Потом она все же приводнилась на живописную реку.

После диких просторов островок цивилизации выглядит несколько странно.

Отбываем домой.

Пафф очень понравился этот снимок — она даже подумывает о том, чтобы официально назначить Дэна своим личным фотографом.

Глава 14

Завтрашнее сегодня

Что сказать о сегодняшнем полете?

Придумал: «!!!»

Общаясь с Дэном Никенсом, вновь и вновь убеждаешься, что он — истинный джентльмен, обладающий широкими познаниями во многих областях: в геологии, химии, юриспруденции — это лишь то, что сумел заметить я. Кроме того, естественно, он знает все, что касается самолетов *SeaRey*. Такой человек должен очень органично смотреться в знаменитом лондонском «Клубе»*, среди книг в кожаных переплетах и портретов мыслителей на строгих молчаливых стенах. Вообразите себе типичного «джентльмена» — и вы получите точное описание его персоны.

Сегодня утром мы с ним встретились в небе. Поначалу его Дженнифер была лишь крохотной точкой над горизонтом на севере. Мы с Пафф поднялись в воздух и стали приближаться к ним с юга, наблюдая, как точка постепенно отращивает крылья.

— Я Виски-Танго. Вас вижу, — сказал Дэн по радио.

— Папа-Эхо роджер**.

Я досчитал до трех, вычисляя момент, чтобы лечь на параллельный курс, и мы с Пафф заняли место ведомого со стороны левого крыла Дженнифер — футах в ста. Помните — мы имеем дело с джентльменом.

---

* Известный лондонский политический клуб с ограниченным членством. Основан в 1764 году. — *Прим. перев.*

** Напоминаем: роджер означает «понял». — *Прим. перев.*

64

Нежные игры Жизни и Смерти. Путешествия с Пафф

Через двадцать миль мы уже были над безлюдными просторами Флориды. Дженнифер устремилась к одному из бесчисленных озер, а Пафф, ее верная спутница, пошла следом.

Дэн выровнял самолет на высоте от шести до двадцати четырех дюймов над волнами — комфортная для него крейсерская высота. Завораживающее зрелище: его самолет, едва не касающийся волн и играющие на воде и на стекле кабины солнечные зайчики.

Полет с двойной скоростью звука на высоте 40 000 футов — все равно что плавание в сиропе по сравнению с семьюдесятью пятью милями в час в нескольких дюймах над гребешками волн. Позади Дженнифер шла полоска темной воды — воздушный след от крыльев. Время от времени Дэн опускал самолет совсем низко, и его киль срывал белоснежные брызги с верхушек волн. Ювелирный полет, измеряемый дюймами. Со своей привычной высоты в три фута Пафф была вынуждена признать, что смотреть на это — сплошное удовольствие.

Для обычного самолета полет так низко над водой — затея глупая и опасная... Куда ты сядешь, если вдруг откажет мотор? В воду! А куда ты сядешь, если в такой же ситуации откажет мотор гидросамолета? В воду! (У пилотов гидроавиации есть расхожая шутка: сесть на воду может любой самолет, но гидропланы способны делать это больше, чем один раз.)

Впереди показался берег, Дженнифер-Дэн грациозно взмыли на несколько сотен футов и пошли вдоль русла речки Киссими — прямого, словно канат, натянутый посреди безмятежного моря карликовых пальм и изумрудной травы.

Вдруг я увидел взлетно-посадочную полосу, идущую вдоль русла! Лента белого песка среди трав — достаточно широкая для автомобиля... на самом деле, вероятно, для автомобилей она и предназначена, но Дженнифер приняла ее за взлетно-посадочную полосу. Ее шасси пошли вниз, и я услышал по радио голос Дэна:

— Выпустить шасси для посадки на землю.

Мы с Пафф зашли на круг и наблюдали с высоты, как они скользнули вниз, мягко прикоснулись к земле, покатились точно по центру дорожки, волоча за собой пышный шлейф белой пыли, а затем свернули на траву и развернулись боком, чтобы наблюдать за нашим приземлением.

— *Не думаю... не думаю, что я когда-нибудь это делала...*

На это я не среагировал, сказав:

— Это посадка на *ЗЕМЛЮ*. Левое шасси *ВНИЗ*, хвостовое шасси *ВНИЗ*, правое шасси *ВНИЗ*. Шасси *ВЫПУЩЕНЫ*. Индикатор показывает: *ВЫПУЩЕНЫ* для посадки на *ЗЕМЛЮ*.

— *...на дороге.*

— Это не дорога, Пафф, а узкая взлетно-посадочная полоса.

— *А-а-а! Ну тогда ладно.*

И мы приземлились на дорогу. Когда мы съехали на траву, я признался:

— Никогда раньше этого не делал...

— *ЧЕГО?*

— Я приземлялся на поля, на пастбища, на пляжи. А на дорогу — никогда.

— *В ЖИЗНИ?*

— В жизни.

Секундное молчание.

— *Это всего лишь узкая взлетно-посадочная полоса...*

Глуша мотор, я все еще улыбался.

Вы ведь помните, что Дэн истинный джентльмен — утонченный, образованный, начитанный? И вот теперь он приземлился на заброшенную дорогу — а ведь день только начался, и вы понятия не имеете, что было позже... Разве бывают джентльмены, столь искусные в управлении аэропланом? Неужели все эти вещи, которые заставляют сердца других пилотов биться тревожнее, — всего лишь одна из многочисленных граней его благородной утонченности? А может быть, его сердце тоже начинает биться быстрее, когда он, сидя в своем «Клубе», вспоминает такие дни, как сегодняшний?

А может, ему просто нужно выяснить, прежде чем отправиться в трансконтинентальный полет вместе с Пафф и ее пилотом... умеют ли вообще эти двое летать?

Пусть ответы ему дадут его же фотографии. Хотя нет, я все же должен сделать несколько комментариев к нашему Приключению в Тростниках.

У восточного берега озера Окичоби есть тростниковые поля, метелки которых возвышаются над водой футов на шесть. Дэн летел на своей привычной сверхмалой высоте, и вдруг я заметил, что Дженнифер и не собирается набирать высоту, чтобы пройти над растениями. Я услышал:

— Поднять шасси для посадки на воду.

Дженнифер снизила скорость, а затем вдруг сразу исчезла в зеленых зарослях.

— *Ричард, ведь мы же не … ?*

— Если это получается у них, получится и у нас, — сказал я. — Он показывает нам, что они умеют.

— *То, что умеют они.*

— Поднять шасси для посадки на воду, — сказал я и установил переключатель закрылков в положение *ВНИЗ*. Мы вошли в тростник на скорости 50 миль в час, подняв облако брызг и с громким шуршанием подгибая стебли. Когда мы снизили скорость, все еще расталкивая корпусом растения, я заметил вертикальный стабилизатор Дженнифер, которая, покачиваясь, направлялась через густые заросли к берегу. Вскоре над морем растительности уже виднелся только кончик лопасти ее пропеллера — Дэн маневрировал, чтобы получить фотографию Пафф в тростнике.

И он ее получил.

Джентльмен следит за тем, чтобы его навыки не притуплялись, и никогда не отказывается от новых приключений. В следующий раз он совершит посадку на велосипедную дорожку.

Мы улетели с тростникового поля и вскоре увидели среди болот Южной Флориды ровную, словно ее прочертили карандашом, водную полоску — дорожку для глиссеров. Это была прямая, словно чертежная линейка в милю длиной, полоса мелководья в десять футов шириной с твердой почвой по сторонам.

— Опустить шасси для посадки на воду, — раздалось в наушниках.

«Какая вода?!» — мысленно закричал я, когда понял, что задумал Дэн.

(Этот снимок сделал Дэн Никенс, одной рукой держа камеру, а другой ведя аэроплан. О том, насколько это сложно, мы можем судить лишь по наклону камеры — Дэн был слишком сосредоточен на управлении и не смог удержать ее прямо.)

А задумал он посадить Дженнифер на дорожку для глиссеров — так, чтобы ее поплавки косили траву по сторонам... Конечно, я понимал, что поплавки окажутся между полосками травы и с каждой стороны останется дюйма по полтора зазора. Лишь потом я узнал, что Дэн задумал не просто совершить посадку, но и сделать фотографии этого маневра.

— Ну, это уж мы точно никак... — сказал я.

— *Проще пареной репы. Если Дженнифер смогла, то сумею и я.*

— Надеюсь, ты понимаешь, что делаешь, Пафф, — пробормотал я. — Шасси *ВВЕРХ* для посадки на воду.

Откуда у нее эта уверенность?

Не говоря ни слова, она бесшумно опустилась к узкой полоске воды. Насколько я видел, мы не могли позволить себе ни малейшей погрешности. Впереди нас шла Дженнифер — яркое пятно крыльев на фоне диких трав. Когда она коснулась узкой водной ленты, в воздух взметнулось белое облако брызг, живописно контрастирующее с зеленым полем по сторонам.

— Вспомогательные насосы включены, закрылки опущены, колеса *ПОДНЯТЫ*.

Затем тишина. Две души сосредоточены на стоящей перед ними задаче. «Просто опусти ее корпус ровно на центральную ось, — думал я, — и тогда с крыльями все будет в порядке. Если Дженнифер сумела...»

Вокруг нас сплошная зелень до горизонта, и только посередине серебряная просека. Зацепись за это серебро, Пафф, пригвозди его своим телом!

Что она и сделала, взметнув в воздух облако жидкого снега. А теперь только прямо на скорости пятьдесят миль в час — во что бы то ни стало точно прямо. И это нам удалось. Не знаю, как Пафф, а я испытал огромное облегчение, когда несколько минут спустя нажал на рычаг газа и устремился вслед за Дженнифер обратно в небо.

Говорят, что полет — это многие и многие часы скуки, прерываемые мгновениями смертельного ужаса. Преувеличение. Полет — во всяком случае, наш сегодняшний полет с Дэном и Дженнифер — это часы бдительного предвкушения вперемежку с мгновениями… скажем, предельного сосредоточения.

Таким образом, сегодня у нас было четыре часа бдительной сосредоточенности, когда мы наблюдали игру истинного виртуоза и его машины.

Я знаю, что сказал бы на это Дэн:

— И не смей называть меня великим пилотом. Мне еще учиться и учиться!

Поэтому я не стану называть его великим пилотом. Просто скажу: «Хорошие снимки, Дэн!»

Ближе к вечеру Дженнифер полетела на север, к себе домой, а мы с Пафф неспешно проплыли по волнам своего озера и выбрались на бережок.

— *А они хороши, правда?*

Я подыскивал слова, чтобы ответ мой вышел не слишком восторженным.

— *Станем ли и мы с тобой когда-то так же искусны в воздухе?*

— Если будем тренироваться так же усердно, как они, и летать так же много, то однажды станем, Пафф. Когда-нибудь мы с тобой будем так же хороши.

Если за дни своей жизни я усвоил хотя бы один урок, вот он: *Самые трудные испытания, когда нам удается их пройти, приносят нам больше всего радости.*

Глава 15

Otra Vez, el Capitan Pollo

Даже представить себе боюсь, сколько забот было у коммандера Ричарда Бэрда, когда он в 1926 году готовился к своей экспедиции в Антарктику. Ведь ему нужно было подготовить к путешествию *большой* самолет.

Почему же настолько хлопотной оказалась подготовка к перелету на этом маленьком аэроплане? Пафф отправила меня за покупками с огромным списком: шприц для смазки, защитная накладка для киля *KeelGuard*, пять разных видов клейкой ленты, застежка-липучка, герметик, модуль энергоснабжения, антикоррозийный спрей, эпоксидная смола, наждак, газовый баллончик, мягкая ткань, три типа веревок, якорь, хомуты, карабины, маленький навесной замок, эластичный шнур, контровочная проволока, крепежные колья, чехол для кабины, чехол для мотора, бечева для фиксатора руля, восковой спрей (чтобы полировать лобовое стекло), инструменты, батареи, аварийный запас еды, вода в бутылках — и это только начало.

Чуть ли не весь день я убил на то, чтобы прикрепить защитную накладку на киль (все это время я лежал под самолетом и мое тело постепенно тонуло в песке) и еще сделать несколько мелочей при помощи клейкой ленты и застежки-липучки. А дальше… я вынужден рассказать очередную историю о Капитане Цыпе.

Во Флориде бывает, что ветер дует первую половину дня, а после обеда успокаивается. Или же наоборот: с утра он едва веет, а ближе к

---

* В другой раз, капитан Полло (исп.).

вечеру набирает силу. Насколько я понял, все зависит от того, в какое время дня я вожусь с Пафф. Сегодня погода казалась летной: ветерок лишь едва теребил озерную гладь, и поэтому я не потрудился ознакомиться с прогнозом погоды. (Вы уже предчувствуете подвох?)

Я подготовил Пафф к полету: отвязал крепеж, расчехлил кабину и мотор, снял фиксатор руля, осуществил предполетный осмотр машины. Мне и в голову не пришло, что вода только кажется спокойной — поскольку я нахожусь на наветренной стороне озера, под прикрытием берега. (Вот так авиаторы и попадают в неприятности: множество мелочей слипаются в снежный ком и в какой-то момент мы получаем серьезную проблему.)

Почему я кричу: «От винта!» — прежде чем запустить двигатель, хотя в радиусе мили от пропеллера заведомо нет ни души? Полагаю, привычка. Мотор заурчал, и Пафф проснулась. Через минуту она уже скатилась по песку, уселась на воду и поджала колесики, с невинным любопытством предвкушая, чему научит нас новый день.

В сотне ярдов от берега, когда мое внимание было сосредоточено на температурном датчике масла, она под действием ветра сама собой стала поворачиваться влево. Как сильно я ни жал на правую педаль поворота, это не помогало. Тогда-то я и понял, что сегодня ветер слишком силен. Пафф не станет просто так вертеться на ветру — вынудить ее к этому могут лишь действительно мощные порывы.

Поддав немного газу, я снова направил ее по ветру. Тяга пропеллера смогла пересилить ветер, но амфибия балансировала на лезвии ножа, едва сохраняя управляемость на малом ходу… а волны между тем становились все выше, на их верхушках уже появилась пена, и вся поверхность озера пошла крупной рябью.

Тогда-то я понял, что эта простая ситуация отнюдь не разрешается в нашу пользу, а только усугубляется, и чем дальше мы уходим по ветру, тем хуже для нас. Мне в голову пришла мысль, что, возможно, сегодня лучше не лететь. Конечно, мы вполне могли бы отправиться в полет, если бы в этом была настоятельная потребность — к примеру, если бы к нам вдруг прибежала Лэсси с вестью, что Томми упал в колодец… но Лэсси дремала себе где-то в укромном местечке, а для тренировочного полета день был явно неподходящий.

С этой мыслью я нажал на педаль поворота, чтобы вернуться домой. Пафф мгновенно повернула направо, борясь с ветром. Вот только развернуться на сто восемьдесят ей не удалось. Когда она встала боком к ветру, порыв ухватил ее за наветренное крыло и подбросил вверх. Дело в том, что я по глупости своей начал поворачивать именно вправо, а не влево, и теперь мое положение левее центральной оси самолета было только в помощь ветру, старающемуся нас опрокинуть.

Я видел, как левый поплавок окунулся и скрылся под водой. За ним последовал кончик крыла.

— *Ричард! Спасай! Ветер!*

Я всем своим весом навалился на правую педаль поворота, дал ручку газа вперед, чтобы силой мотора увести ее хвост влево, встать против ветра и выровнять машину.

Все это происходило как в замедленном фильме — ее крыло оказалось прижато тысячами фунтов воды.

Медленно, медленно она развернулась носом к ветру… и ее притопленное крыло стало подниматься. Один сильный порыв, подумалось мне, и я ее потеряю. Ее ангелы ринулись навстречу шторму, чтобы заслонить нас, предотвратить беду. Постепенно нос машины твердо встал против ветра, затонувшее крыло полностью вышло из-под воды, заработали все полетные датчики — как будто мы летели в этом ветру. Теперь, когда мы развернулись на сто восемьдесят градусов, я увидел белые барашки, которых не заметил при спуске на воду, потому что смотрел на волны с другой стороны. Пафф жадно хватала воздух, стараясь отдышаться.

— *Оно нам надо?*

Пафф старалась храбриться, но прежде ей никогда не приходилось окунаться крылом, и она знала не хуже меня: если бы мы накренились еще на фут влево, в кабину через открытый фонарь хлынули бы тонны воды, увлекая нас на дно. (Ее пилот не додумался закрыть кабину на такой случай — еще одно звено в цепи событий того дня.)

Как только я признал, что нам действительно не нужно оставаться на озере и направил Пафф к дому, она отряхнула с себя все свои страхи вместе с последней четвертью тонны воды. С каждой встречной волной кабину обдавало мелкими брызгами.

Вернувшись на берег, я сформулировал выводы из сегодняшнего происшествия:

1. Если, находясь на наветренной стороне озера, ты не видишь больших волн, помни, что ты наблюдаешь единственный спокойный участок водоема, в то время как вокруг может бушевать буря.

Нежные игры Жизни и Смерти. Путешествия с Пафф

2. Вообще-то, прежде чем отправляться на прогулку, полезно прослушать прогноз погоды для авиаторов. (После того как мы вернулись на берег, я, сидя в кабине с заглушенным двигателем, настроился на радиостанцию ближайшего аэропорта. Оказалось, что скорость ветра составляла от 15 до 23 узлов с порывами до 30. Порывы в 30 узлов — неподходящее время, чтобы находиться на воде в легком спортивном аэроплане. Это прекрасно известно и мне, и Пафф.)

3. Если происходит что-то странное — например, твой аэроплан начинает разворачиваться на ветру, — очнись, пилот! Аппарат реагирует на то, что происходит в атмосфере, а не на то, что ты нарисовал в своем воображении.

4. Вместо того чтобы размышлять, сколько воды нальется в кабину, если крыло погрузится глубже в воду, помоги машине встать против ветра и закрой фонарь, пока не поздно.

5. Я заработал членство в клубе «Капитан Цыпа» (Captain Chicken) именно за то, что всегда вел себя достаточно рассудительно, чтобы избегать опасных ситуаций, пока не поздно. У меня нет внутренней потребности доводить это «пока не поздно» до крайнего предела — или вообще до того момента, когда мы будем лежать в воде вверх брюхом. Чем раньше принято решение, тем лучше.

Такие вот дела. Мы сегодня не провели в воздухе ни минуты, но подошли к краю опасности ближе, чем за вчерашние четыре часа полета над болотами, кишащими аллигаторами.

Капитан Цыпа потерял парочку перышек, но тем тверже его решимость сохранить те, которые еще остались.

Фотографий сегодня нет, зато я предлагаю вам словесное видео:

Представьте себе Пафф, сражающуюся с Типичным Штормом, какие мы видим в кино: вот она взлетает под небеса на гигантской пенной волне, затем исчезает из виду, пожранная морскими глубинами, чтобы через миг появиться вновь… вначале амфибия показывает нос из толщи зеленых вод, затем понемногу высвобождается полностью и отряхивается, разбрасывая перышки пенных брызг, которые взлетают на двадцать-тридцать футов над ее торчащим вверх хвостом.

А теперь в том же самом водоеме представьте себе супертанкер. Он отчаянно старается устоять среди беспощадных волн, но проигрывает битву — в небо летят сигнальные ракеты, матросы спускают спасательные шлюпки на воду.

После того как вы нарисуете в своем воображении эту жуткую сцену, прикрутите ручку интенсивности на пару делений — и у вас получится эмоциональный фон нашего сегодняшнего приключения. И еще одно отличие: нас едва не потопили не волны, но ветер.

В последний момент мы едва-едва сумели сбежать в надежное укрытие — промокшие, но живые.

Помимо этого ничего особенного сегодня не произошло. Пафф обсыхала на берегу, и я чувствовал, что она хмурится: если мы вляпались в такие проблемы в своем домашнем озерце, то чего же ждать от перелета на запад длиною в 3300 миль?

Если, пройдя через бурные моря, я за дни своей жизни усвоил хотя бы один урок, вот он: *Умереть от скуки намного страшнее, чем погибнуть в море или в горах.*

Глава 16

Снова в полет!

Ветер улетел прочь, прослышав, что где-то на востоке есть еще не укрощенные самолеты-амфибии, и мы с Пафф остались почти с полным штилем.

«Неплохо бы получше узнать, как она ведет себя в случае отказа двигателя после взлета», — подумал я.

Мы несколько раз сымитировали эту ситуацию над озером. Чтобы сохранить скорость полета при отказе двигателя (а сохранить скорость полета очень важно), пилоту необходимо как можно скорее дать рычаг управления вперед и превратить свой летательный аппарат в планер.

Пилоты, не привыкшие к маленьким аэропланам, порой забывают одну вещь: каждый такой самолет — это, по существу, планер, к которому привинтили мотор. И если мотор отказал, это не означает, что полет окончен. Самолет просто плавно планирует к земле… именно поэтому аппараты без моторов (или с отказавшим мотором) называют «планерами».

Планеры без моторов специально сделаны таким образом, чтобы можно было опускать их на землю очень медленно. Пафф сконструирована несколько иначе — именно поэтому нам и нужно было сегодня попрактиковаться: чтобы в будущем, если у нас заглохнет двигатель, никто из нас не впадал в панику. Ведь мы эту ситуацию уже проходили, и нам нужно всего лишь подыскать себе участок воды или ровную площадку на суше для посадки.

Скорость снижения Пафф сегодня была между 700 и 800 футами в минуту… Таким образом, при высоте в 500 футов у нас есть около 40 секунд с момента, когда отказывает двигатель, и до момента, когда мы касаемся поверхности планеты, — а это довольно приличный промежуток времени. Я мог бы немного увеличить эту цифру, если бы летел медленнее, но другие пилоты *'Rey* были бы недовольны, если бы я сказал им, что моя скорость составляла меньше, чем 70 миль в час, — нормальная крейсерская скорость. Все, что вам требуется, — это практика. И помните, что машина может продержаться в воздухе и дольше, если вы станете действовать аккуратно. Но сегодня мы не будем вдаваться во все эти детали.

Я наслаждаюсь тишиной, когда мотор работает на холостом ходу (позже я потренируюсь и с полностью остановленным пропеллером), — только свист ветра в парении. А звучит это вот так: представьте себе звук, как будто ветер легонько дует в микрофон — одно долгое дуновение на 40 секунд. Итак, вы уже поняли, что отказ мотора — не такая уж и проблема, если у вас достаточно летной практики и вы должным образом подготовлены к остановке пропеллера. Проблемы могут быть у того пилота, который считает, что мотор вообще никогда не должен отказывать, и позволяет себе лететь маршрутом, где в радиусе планирования может не оказаться удобного места для посадки. Летчик должен учитывать такие вещи, хоть это и не всегда просто.

Думаете, я отклоняюсь от темы, когда описываю все эти технические подробности в легкой приключенческой книге? Ничего подобного. Я просто хочу разогнать последние остатки страха в тех читателях, которые пока еще не сидели за штурвалом аэроплана, — я побуждаю вас к тому, чтобы вы сами однажды стали авиатором! Свобода и красота полета стоит усилий, затраченных на обучение и практические занятия, — ведь даже практические занятия здесь доставляют удовольствие.

Если за дни своей жизни я усвоил хотя бы один урок, вот он: *Мы не можем убедить человека сделать что бы то ни было, если он сам в глубине души этого не хочет.*

Я еще немного повозился с Пафф, уснувшей на берегу: поменял подголовник, прикрепил новые защелки для ремней безопасности, подновил цифры на циферблате топливного датчика. Когда я этим занимался, в моей голове вертелась песня «*Where is Love?*» из мюзикла «Оливер». Мелодия прекрасная, чуточку грустная и меланхоличная — но почему она пришла мне в голову именно сейчас? И видит ли Пафф себя поющей во сне? Возможно, главное послание заключено в самом названии песни, которое напоминает нам, что любовь не ограничена пространством-временем. Что это: отвлеченный философский вопрос или глубоко интимное исследование для каждого, кто напевает песню? Лично я это исследование пока так и не завершил… Оно продолжается в моем уме и сейчас, когда я пишу эти строки.

Нежные игры Жизни и Смерти. Путешествия с Пафф

Глава 17

«Рутинный полет»

Как будто бы такое вообще бывает. Цель полета может выглядеть рутинно: «Учебный полет», «Испытательный полет», «Полет в Сибринг для техосмотра двигателя», — но сам по себе полет почти всегда таит в себе какой-нибудь нежданный дар. Эти не поддающиеся планированию события входят в жизнь пилота почти каждый раз, когда он отрывается от земли, независимо от того, упоминает ли он их в своем бортовом журнале: «Из камышей взмыло облако розовых фламинго».

Сегодняшний полет был как раз «в Сибринг для техосмотра» вместе с Дэном Никенсом. Он сообщил, что будет пролетать над моим домом около 9:30 утра, и спросил, не хочу ли я разделить с ним путешествие.

Мы с Пафф встретили Дэна и Дженнифер на высоте 1500 футов ровно в 9:30. Воздух здесь, наверху, был тих и спокоен.

Впереди по курсу показалось озеро. Дэн сбросил высоту. Мы, конечно, вслед за ним. Дэн предпочитает совершать долгие перелеты над самой водой на высоте между нулем и

двумя футами — для него это совершенно естественно и комфортно. Будучи более консервативными, мы с Пафф летели на высоте около шести футов и сделали вот такой снимок:

Я не перестаю удивляться многогранности этого человека: вот он мчится на скорости 80 миль в час в нескольких дюймах над резвыми волнами, а через считаные минуты со знанием дела рассуждает об осадочных породах, о древнем материке Пангее и о структуре среднеатлантического хребта — и выглядит при этом так, что самое место ему в «Клубе»... не хватает только пиджака с замшевыми накладками на локтях.

Я посмеиваюсь над присущими ему контрастами, а самому мне не хватает отваги даже для того, чтобы правильно составить ему пару на этой высоте (ведомый обычно летит ниже ведущего).

Вот тебе и рутинный полет: проносящаяся под нами водная поверхность, словно сплошное полотно, сотканное из молний; водопадный гул мотора в нескольких футах позади кабины; и ветер, треплющий шторы плотного свежего воздуха в нескольких дюймах от лица.

«У Дэна нет бессрочной гарантии на мотор, который Дженнифер несет для техосмотра, — размышлял я, любуясь, как она своим килем сбивает с волн облачка брызг. — А у нас? Сами-то мы разве приходим в мир с бессрочной гарантией?»

Если Вы, дорогой смертный, не вполне довольны этой жизнью, мы предоставим Вам бесконечное число других жизней, и это не будет Вам стоить абсолютно ничего, кроме уже вложенного Вами депозита отваги и юмора.

Я всегда сомневался в возможности такого бесплатного предложения, ибо в действительности мы платим за свою жизнь... платим не только отвагой и юмором, но также решимостью прожить ее наилучшим образом в соответствии с нашими наивысшими идеалами. Но при этом я ни на миг не сомневаюсь в том, что мы и правда можем выбрать другую жизнь — после текущей, или же до нее, или прямо в разгар наших нынешних приключений.

Если за дни своей жизни я усвоил хотя бы один урок, вот он: *Мы можем менять свою жизнь, когда только захотим, — для этого достаточно провозгласить, что отныне мы не такие, как прежде.*

Погруженный в эти размышления, я перестал следить за высотой, и Пафф коснулась килем воды на скорости 80 миль в час — короткий скользящий удар, и мы снова в воздухе. От этого толчка я мгновенно очнулся от грез. «Даже если предположить, что у меня и есть бессрочная гарантия, — подумал я, снова набирая свою привычную высоту в тридцать шесть дюймов, — я все же предпочту вначале до конца исчерпать ту жизнь, которая распростерлась предо мною сейчас, и только потом стану строить планы на следующую».

Глава 18

Снова в Сибринг

М оя задача сегодня состояла в том, чтобы опять пролететь 60 миль на юг, в Сибринг, — но на этот раз на большой высоте. Был в моей жизни период, когда слово «высота» означало для меня 38 000 футов с потолком до 42 000, где небо над головой всегда темное, но при этом приходится опускать солнцезащитный щиток шлема, а на лице обязательно должна быть шипящая кислородная маска.

Для нас же с Пафф сегодня слово «высота» означает полет через подернутый легким туманом день в 1500 футах над Флоридой. Она искренне наслаждалась пейзажами и не особенно обращала внимание на восходящие и нисходящие турбулентные потоки — мы просто летели к намеченной цели и не искали атмосферных лифтов. Стоило мне включить камеру, чтобы засвидетельствовать силу теплых воздушных струй, как все утихло. Так что, если вы хотите увидеть 30-секундный видеоролик о тихом спокойном воздухе, он у меня есть.

На обратном пути из Сибринга, над городом Фростпруф, я увидел то, чего не замечал уже много десятилетий, нечто такое, о чем пассажиры моего биплана однажды потрясенно воскликнули: «Ферма и городок — они же игрушечные!»

Может быть, мы просто находились на идеальной высоте, но Фростпруф распростерся под нами, словно на кухонном столе, весь такой миниатюрный, с множеством трогательных деталей. Опрятные домики, парковка для трейлеров, церквушки и даже маленькие машинки, катящиеся по улицам, — все, как настоящее!

Мне подумалось: а ведь в каждом из этих домиков сейчас разыгрывается своя жизненная история! Банк, и церковь, и офисы, и магазины, и улицы — все это сцены для драматических сюжетов: люди в радости или страхе, в минуты воодушевления или опустошенности… Кто-то в этот момент плачет, кто-то беззаботно насвистывает. Каждый актер этой пьесы находится в точности на своем месте, каждый проживает свою роль в соответствии со сценарием, каждый безупречно произносит свои реплики, даже не задумываясь о том, какие там слова идут дальше.

А тот, кто окажется еще на тысячу футов выше, увидит вдобавок игрушечную *SeaRey*, пролетающую над столом, а из ее кабины выглядывает крохотный пилот и с изумлением смотрит на разворачивающееся под ним сценическое действо. Их роли и моя роль — все это должно быть сыграно надлежащим образом.

Полет порой оказывает такое действие: ошеломляет тебя игрой перспективы, заставляет почувствовать, что все это нереально. За каждым из игроков, за каждой шахматной фигуркой стоит также некая другая сущность, живущая вне шахматного набора, и вне сценария, и вне всей жизненной постановки. Ее интересуют только *проявления любви*: сумеет ли мой актер использовать свой шанс на этой сцене, в этой пьесе, в этом эпизоде, в этой жизни?

Затем Фростпруф растаял в дымке позади нас, и мое внимание снова сосредоточилось на датчиках скорости, высоты и топлива — но все же не до конца. Чувство связи со всеми этими жизнями еще мерцало во мне долгое время после того, как городок скрылся вдали. Я не мог выгнать его из своего сознания: в каждом из этих кукольных домиков идет своя пьеса, персонажи уклоняются от уроков, персонажи усваивают уроки… То же самое касается и нас с Пафф.

Севернее озера Уэлс маленькая амфибия пожелала опуститься вниз. Утомленная небесным бегом, она захотела приводниться и минутку посидеть спокойно. Что мы и сделали, выбрав для этого круглое серебристое озерцо, отблескивающее на солнце, словно долларовая монета. Когда мы остановились, я протянул руку к воде, которая теперь сменила серебро на синь. Вот она, на расстоянии вытянутой руки, прохладная, плотная, влажная — совсем не такая, как воздух там, на тысячефутовой высоте.

Потом мы снова взмыли ввысь, и скоро уже были дома: шестьдесят миль за шестьдесят минут. Во время этого полета нас обгоняли не

80

Нежные игры Жизни и Смерти. Путешествия с Пафф

только легковые автомобили, мчащиеся по автостраде под нами, но и один 18-колесный грузовик с апельсинами.

Когда Пафф стала ворчать по этому поводу, я напомнил ей, что водитель грузовика, вероятно, не волен сам распоряжаться своим временем — и ему некогда освежаться в каждом приглянувшемся озерце.

Если за дни своей жизни я усвоил хотя бы один урок, вот он: *Многие люди были бы несказанно счастливы получить те умения и способности, которые мы принимаем как нечто само собой разумеющееся. Точно так же, как нам порой хочется иметь то, что есть у них.*

Глава 19

Технические характеристики имеют значение

Ще какое значение! Нужно знать, на что способен твой аэроплан, а на что не способен. И если интересующие тебя технические характеристики не описаны в инструкциях, значит, придется стать самому себе летчиком-испытателем.

Вот, например, Пафф. Сможет ли она проплыть по водному полю из кувшинок и после этого снова взлететь? Я решил сразу обратиться к первоисточнику и спросил у нее:

— Кувшинки для тебя проблема, Пафф?

— *Давай лучше обойдемся без кувшинок.*

— Но мы никогда не бывали среди кувшинок. Забавно же будет проплыть среди них. К тому же они красивые!

— *Я бы предпочла этого не делать.*

— Да ладно тебе! Давай!

— *Ну, если настаиваешь… ты — пилот!*

Я не уловил предостерегающих ноток в ее голосе. В другой раз буду внимательнее, когда она скажет «ты — пилот».

Так начался мой конфуз на кувшинковой поляне.

Почему-то я решил въехать в море кувшинок на довольно большой скорости, и во избежание столкновения с берегом мне пришлось поддать газу и нажать на педаль руля — резкий разворот.

Когда мы вернулись на открытую воду, я выжал полный газ:

— Ладно, Пафф, давай!

Мотор заревел на полную мощность, и я услышал вопрос Пафф:

— *Давай — ЧТО?*

Вместо того чтобы по своему обыкновению радостно вспорхнуть в небо, она двигалась медленно и неуклюже. «Возможно, это как-то связано с кувшинками?» — подумал я.

Мы направились в сторону берега, остановились на мелководье и заглушили мотор. Пафф уснула.

Я выбрался из кабины, ступил в кишащую аллигаторами воду и побрел к хвосту. Знаете, что я там обнаружил? Стебли и листья кувшинок на стойке хвостового шасси. Мы собрали щедрый урожай — 30 фунтов кувшинковых листьев. Ком из этого сырья не слишком обтекаем и не служит хорошим подспорьем для полета, ибо обладает аэродинамическими свойствами мешка с картофелем и приблизительно таким же весом. Было бы несколько проблематично взлететь (как любят говорить пилоты), когда центр тяжести аппарата переместился в зону «Опасно, взлет воспрещен».

После того как я снял кувшинковые листья, ухитрившись как-то не попасть в зубы к аллигаторам, я завел мотор и мы вырулили в открытые воды.

— *Спасибо... тебе.*

Сухо и формально. «Ведь я же тебе говорила «нет». В другой раз прислушайся к моему мнению, когда захочешь втянуть нас в неприятности». И все это выражено лишь двумя словами, разделенными многозначительной паузой: *Спасибо... тебе*».

В течение двух часов мы летали, приводнялись на мелководье, быстро гоняли среди камышовых островков, отрабатывали приземление на короткой полосе, взлет над препятствием, резкую остановку с поворотом и поперечным скольжением.

По пути домой — спокойный полет на высоте в тысячу футов — я почувствовал, что она вглядывается в западную сторону горизонта.

— *Что ждет нас там?* — прошептала она, знавшая лишь равнины, реки, озера и болота Флориды... Ведь почти вся ее жизнь прошла в этих тренировочных полетах со мной.

— Ты о чем, Пафф? О пространстве или о времени? О географии или о приключениях? Мир огромен — в обоих отношениях.

— *Мы уже почти готовы, верно?*

— Еще недельку, и в путь.

— *Я не об оставшемся времени. Я о тебе и мне. Ведь мы все лучше узнаем друг друга, правда? Мы готовы к тому, что ждет нас там?*

— Шаг за шагом, Пафф… не так уж много есть ситуаций, с которыми мы не сможем справиться. Терпение. Долгий трансконтинентальный перелет — это всего лишь полсотни коротких.

— *А! Спасибо.*

В этот раз между словами не было троеточия.

Глава 20

Своя правда

На форуме создателей *SeaRey* вчера вечером появился пост, заставивший меня встревожиться. Автор пишет, что при отказе двигателя на высоте тысяча футов его аэроплан не смог сделать полный круг перед приземлением.

В подробности он не вдавался, так что я предположил, что его аппарат тяжелее, чем Пафф, и вообще радиус поворота у него другой... Мне не верилось, что Пафф настолько коварна. *F-84F* или *Boeing* 737 — очень даже может быть. Но Пафф?.. Я долго не мог заснуть, переживая, что, быть может, у нее есть от меня секреты.

Сегодня утром я, как обычно, завершил предполетный осмотр и завел двигатель. Пафф проснулась и, беззаботно плескаясь, забежала в озеро.

Через несколько секунд она притормозила.

— *Что-то не так?*

— Хм... думаю об одном посте в Интернете...

Естественно, она уже знала, о каком посте идет речь, потому что в бодрствующем состоянии ее дух связан с моим.

— *Эта проблема с разворотом нас не касается. В отношении меня все это неправда.*

И, словно тема исчерпана и дело закрыто, она поинтересовалась, куда мы сегодня полетим.

— Но если это можем мы, почему тогда автору поста и его аэроплану не удалось совершить такой разворот? — не унимался я.

— *Я не экстрасенс, Ричард.*

Пафф развернулась носом к ветру.

— *Возможно, она слишком тяжелая? Слишком большое лобовое сопротивление? Слишком большой радиус поворота? Куда сегодня полетим?*

— Я в тебе не сомневаюсь, Пафф, но он пишет о самолете марки *SeaRey* и ты тоже *SeaRey*. Откуда у тебя такая уверенность в себе?

— *А откуда у тебя уверенность в том, что ты умеешь ездить на велосипеде? Ты просто… просто знаешь. С высоты тысяча футов я могу сделать два круга с выключенным мотором. Если даже его слова — чистая правда в отношении его аэроплана, это не означает, что они верны и в отношении нас!*

— Не согласишься ли ты…

— *Конечно, я покажу тебе. Ты сам сказал, что именно этому мы намереваемся посвятить ближайшие дни: выяснить, на что мы с тобой способны, а на что не способны. Я тебе покажу. Два круга с тысячи футов.*

— А можешь ли ты сделать два круга с сотни футов?

— *Ага, значит, ты мне тут допрос устроил!*

— Я только…

— *Могу, конечно.*

— Пафф, ты…

— *…но только с включенным двигателем.*

Нужно взять на заметку: Пафф не любит признавать, что она чего-то не может.

Несколько минут спустя мы были в тысяче футов над озером. Пафф делала вид, что ей все это безразлично.

Я переключил мотор на холостые обороты, опустил нос и зашел в поворот. Если бы мои слова сложились в видеозапись, вы бы увидели, что к моменту, когда Пафф замкнула второй круг, до поверхности оставалась еще пара сотен футов.

— *Если за дни своей жизни я усвоила хотя бы один урок, — сказала она, — вот он:* **Что истина для других, не всегда истина для меня.**

Ближе к полудню мы приводнились на озеро неподалеку от ресторана. Наружу вышли несколько человек — полюбоваться на Пафф и вслух восхититься ее красотой.

«Мы сами определяем свою правду, — подумал я, — когда демонстрируем себе собственные возможности».

А ведь она действительно красивая. И умная.

Глава 21

Песок,
и море, и небо

М ы — песчинки в песочных часах. Такое вот ощущение у меня сегодня. В верхней колбе пока еще есть песок, но я знаю, что скоро грядут большие перемены и отчетливо ощущаю приближение горизонта событий — переход в иное измерение под нами.

Сегодня с самого утра у нас была совершенно определенная цель: прежде чем отправиться навстречу приключениям, слетать на север, на завод *SeaRey*, чтобы решить несколько небольших проблем. Пафф настроена в меру торжественно — она всегда такая, когда предвкушает свидание с неведомым.

Перед вылетом я созвонился с Дэном и договорился встретиться в небе. Сегодня он летает не на своей Дженнифер, а на демонстрационном самолете компании.

Как мы находим друг друга в бесконечном воздушном пространстве, где так легко затеряться? А точно так же, как люди делают это в жизни: транслируем свои координаты по секретным каналам:

— Привет, Папа-Эхо, — раздался по радио голос Дэна. — Вызывает Сьерра-Ромео, как слышно?

(Бортовой номер самолетов компании *SeaRey* заканчивается буквами "SR" — Сьерра-Ромео. Дэн говорит в эфир, не зная, слышу я его или нет. Если не слышу, ответом ему будет молчание: мы с Пафф можем находиться слишком далеко, или у нас радио не работает, или мы еще даже не взлетели.)

— Привет, Сьерра-Ромео. Я Папа-Эхо. Нахожусь в пяти милях от Клермонта, идем на север.

(Самый главный вопрос прояснился… теперь мы знаем, что находимся в одном воздушном пространстве. И даже если пока не видим друг друга, то скоро увидимся.)

— Я Сьерра-Ромео. Нахожусь в пяти милях севернее тебя на полутора тысячах. Предлагаю встретиться над центром большого озера. Мне нужно будет там приводниться.

— Роджер. Папа-Эхо на тысяче. Ищу тебя.

Я решил оставаться на меньшей высоте, чем Дэн, пока не увижу его аппарат: заметить крохотную точку за много миль намного проще, когда фоном служит небо, а не пестрый камуфляж земного ландшафта. Вот так жизнь небесная отражает, как зеркало, жизнь земную!

Потом тишина. Я высматриваю. И вот где-то вдали… точка! Но эта точка кружится, а не летит по прямой, как делал бы сейчас Дэн.

Эта точка — гриф, набирающий высоту в восходящем потоке.

А вот и другая точка на севере, целенаправленно движущаяся к югу.

— Я Папа-Эхо. Тебя вижу.

Это может быть и другой аэроплан, но такая вероятность мала, а при нашей скорости сближения я вскоре смогу рассмотреть детали. Едва точка приобретает форму, безотказно срабатывает человеческая способность распознавать и сопоставлять. Несколько пикселей, и все готово: высоко поднятое крыло, вертикальный хвост, очертания летящей лодки… идентификация завершена! Это именно то, что я ищу.

Из бескрайнего горизонта пустоты наконец появилось то, что я хотел увидеть, и теперь уже больше ничто иное не имеет значения. Поворачиваю, чтобы выйти на совместный курс, максимально быстро и безопасно иду на сближение.

— Вижу тебя, Папа-Эхо.

Полная согласованность. Теперь мы готовы лететь вместе.

Далее идет целый ряд действий, требующих учета многочисленных радиусов и углов, расстояний и скоростей, параметров и характеристик. Как в небе, так и на земле, встреча с тем, кто для тебя важен, — бесконечно сложная задача, но мы секунда за секундой делаем то, что считаем необходимым, и у нас все получается.

— Поднять шасси для посадки на воду.

Его аэроплан сбросил скорость и нырнул вниз. Мы с Пафф сделали то же самое — рычага газа на себя, разворот против ветра, и очень скоро раздался этот знакомый звук: вода трется о корпус. Оба самолета замедлились и теперь парили в воде, а не в воздухе.

Я увидел, как опускается шасси второго *SR* — взметнулись белые веера воды по бокам, и через секунду колеса уже исчезли под поверхностью, нащупывая дно.

Щелкаю переключателем, и шасси Пафф тоже с плеском исчезают в воде. Остальное просто: поддаем газу, и оба самолета опираются на твердый песок, а не на воздух или воду. Амфибии, как и их пилоты, комфортно чувствуют себя в разных стихиях — мы переходим из одной в другую, почти не задумываясь.

Через несколько минут мы снова в небе — сменили песок на воду, а оттуда упорхнули в новом направлении, к общей цели.

Мы ненадолго задержались в ангаре Дэна, к которому ведет отдельный пандус.

— Там у берега кувшинки, — сказал он, — двигайся среди них медленно и плавно.

А потом добавил:

— Пандус крутой, так что на подъеме поддай газу. А наверху еще поворот на восемьдесят градусов...

«Ну, я попал! — подумалось мне. — *La Rampa del Muerte, Parte Dos*»*.

— Ты справишься.

Он оказался прав, но мог ли я поверить в эти слова, прежде чем на деле доказал себе, что они верны? Едва ли. Я вообще нечасто верю в «Ты справишься», пока не справлюсь.

Ни единого слова со стороны Пафф, ни малейшего признака тревоги — и она действительно уверенно взобралась на пандус Дэна, безупречно совершила поворот и покатилась к его ангару.

Позже, когда мы уже собрались улетать, Дэн вдруг спросил:

— С тормозами у Пафф все в порядке?

— В порядке. А что?

— А рулевой привод заднего колеса работает?

— Нормально работает. Ты хочешь меня напугать?

— Нет-нет, — заверил он. — Просто скатываться с пандуса нужно очень медленно, а перед этим очень точно выйти из поворота перед ним, а потом войти в воду как можно более прямо.

Ни я, ни Пафф ничуть не волновались — все маневры прошли успешно, хотя ее тормоза все же были не вполне готовы к такому крутому спуску — и перед самой водой мы почти не контролировали

---

* Пандус Смерти, часть вторая (*исп.*).

ситуацию. Я понял, отчего тревожился Дэн: если скатиться по этому крутому пандусу слишком быстро, при ударе о воду самолет может переломиться пополам. Пафф эта мысль заставила улыбнуться:

— *Пополам? Ха-ха-ха! Только не я.*

Мы прибыли на озеро завода *Progressive Aerodyne*[*] буквально через несколько минут после того, как на месте старого *Rampa del Diablo* завершили сооружение нового пандуса — и сразу же ввели его в эксплуатацию.

Теперь я поднялся на заводскую площадку с легкостью — тем более что и умения мои с прошлого раза значительно выросли.

Пафф снова оказалась в родительском доме, а Керри мгновенно переквалифицировался из строителя пандусов в самолетного врача. Я рассказывал о мелких недомоганиях моей Пафф, а он решал, как будем лечить. Завтра нам нужно будет всерьез заняться ее подготовкой к большому путешествию.

Если за дни своей жизни я усвоил хотя бы один урок, вот он: ***С каждым восходом солнца жизнь начинается заново.***

---

* Тот самый завод, который выпускает *SeaRey*. — *Прим. перев.*

Нежные игры Жизни и Смерти. Путешествия с Пафф

Глава 22

Пафф
и президент

Самолеты не жалуются. Иногда дела идут не так хорошо, как хотелось бы, но Пафф ведет себя достойно. Ее жизнь — это полет, и если возникают проблемы, она все равно летит или пытается лететь… за исключением случаев, когда пилот не велит ей: «Давай!» — предварительно навесив на хвост тридцать фунтов листьев кувшинки. Тогда она, естественно, спросит: «Давай — что?»

Сегодня на заводе она проспала все время, пока ремонтировали ее топливную систему, проводили регулировку колес и подправляли сдвижной фонарь, чтобы он работал так плавно, как было задумано.

Больше всего я был впечатлен тем фактом, что сам Керри Рихтер — творец *SeaRey* и президент компании — с 10 утра до 7 вечера лично возился с Пафф, разбираясь в ее неполадках.

Прямо сейчас он осматривает направляющую для сдвижной дверцы фонаря, которая была погнута, а он ее поменял и заодно решил кучу сопутствующих проблем, что отняло у него несколько часов.

Кроме того, он заменил опоры шасси. Работая дрелью и заклепочным пистолетом, Рихтер одновременно отвечал на какие-то деловые звонки.

Если вы привезете на техобслуживание свою *Cessna* или *Beechcraft*, есть все шансы, что ремонтный цех прекратит свою работу ровно в 16:30 и следующие 16 часов вам придется ждать в каком-нибудь отеле.

Мне частенько доводится болтать с членами нашей большой семьи — пилотами других *SeaRey*, которые построил Керри. Как отметил один из них, очень хорошо, что финансовыми делами компании занимается не сам Рихтер, потому что тогда предприятие давно разорилось бы из-за его желания бесплатно решать возникающие у покупателей проблемы.

Именно из-за этого мы все чувствуем себя единой семьей: нас объединяет искреннее стремление помогать друг другу... Возможно, эта атмосфера зарождается как раз в такие дни, как сегодняшний, когда этот парень не жалеет сил и времени, чтобы улучшить жизнь одного из своих аэропланов?

Глава 23

Я смеюсь над грозами

Прогноз обещает грозы. «Ха-ха!» — подумал я, ведь утро выдалось ясное и светлое с легким ветерком. Безупречная погода для полета.

Мы с Дэном прибыли на завод рано. Он — для демонстрационного полета с потенциальным покупателем, а мне нужно завершить последние штрихи доводки Пафф на *Progressive Aerodyne* и посмотреть, как Керри Рихтер сам совершит на ней полет, желая убедиться, что все сделано безупречно.

Керри чуть-чуть изменил угол наклона пропеллера, в результате чего Пафф может летать быстрее, чем прежде, за счет увеличения на секунду-другую времени разгона.

Какое странное чувство я испытал, наблюдая со стороны, как она едет вниз по пандусу: *моя дама танцует танец с другим!*

Однако, поскольку Керри обладает бо́льшим опытом полета на *SeaRey*, чем любой другой человек на Земле, я не стал возражать — ведь Пафф танцует со своим отцом.

Я несколько раз сказал это самому себе: «Я не возражаю», — пока Пафф и Керри на высокой скорости гоняли вдоль дальнего берега озера, оставляя за собой радужные облака брызг. Затем они взлетели, и я улыбнулся, услышав, как тихо звучит ее мотор со стороны — до моих ушей с высоты доносился только тихий стрекот пропеллера, а не тяжелый рев двигателя, как это бывает у большинства самолетов.

Минут на пятнадцать они исчезли из виду… затем спустились с высоты — долгое парение на малых оборотах. Теперь к стрекоту про-

пеллера добавился еле слышный свист, и вместе они сложились в очень приятный звук. Безупречная посадка (после соприкосновения с водой самолет ни разу не подскочил), и через пару минут они уже снова с нами. Керри заглушил мотор — Пафф уснула.

— Летает отлично! — он покинул кабину и выбрал из ящика с инструментами несколько ключей. — Немного неустойчива, но мы это исправим…

Он чуть подтянул крепление правого закрылка, затем на пару миллиметров подкрутил привод правого элерона.

— Полагаю, нам удалось ускорить ее миль на пять в час, — он отложил ключи в сторону. — Хороший самолет. А пролетись-ка сам. Посмотрим, что ты скажешь о ней сейчас.

Через минуту мы с Пафф уже скользили по воде на дальнем конце озера. Резкий поворот на большой скорости, затем взлет. Внизу после нас остались только ленты кильватерных волн, играющие солнечным светом.

Исчезнув из поля зрения наблюдателей, мы стали отрабатывать хорошо знакомые упражнения над круглой водной равниной к югу от завода. Медленный полет со скоростью 40 миль в час, затем экстремально медленный полет на полном газу и 26 милях в час. Сваливание с поднятыми закрылками и опущенными закрылками; на малом газу и… немногие самолеты могут не сваливаться на полном газу, и *SeaRey* — один из них. Повиснув на собственном пропеллере, Пафф неправдоподобно круто карабкается в небо — акробатка с мотором, набирающая высоту с каждой минутой.

В горизонтальном полете на полной крейсерской мощности она действительно двигалась на пять миль в час быстрее, чем прежде. Она была в форме — легкая, раззадоренная, счастливая в своем небе. В моем сознании раздался ее голос:

— *Я себе нравлюсь! Я, новая, нравлюсь себе. Это и есть настоящая я — чуть более настоящая, чем прежде.*

Нежные игры Жизни и Смерти. Путешествия с Пафф

Ее голос радостно дрогнул и утих. «Разумеется, — подумал я, — чем лучше нам удается воплотить свой дух в движении, тем ярче мы выражаем свою истинную сущность в любом мире, в котором оказываемся».

Мы испробовали еще несколько танцевальных па — безупречно. Затем прошуршали по кромке тишины вниз, к воде, шепотом прошлись по поверхности и вскарабкались на новый пандус, обильно роняя с корпуса воду.

Керри истолковал мой восторг по поводу его работы точно так же, как он истолковывал радость всех других пилотов, познакомившихся с его аэропланом за двадцать лет с момента создания первой *SeaRey*... Он отмахнулся от всех моих «потрясающе», «великолепно» и «спасибо-тебе-Керри» и заговорил по существу: «Летает ли твой самолет так, как ты хочешь? Требуются ли какие-то доработки и доводки? Не нужно ли сделать его еще устойчивее? Добавить оборотов двигателя?»

Загрузив на борт нейлоновые сумки с инструментами и запчастями, я покинул завод и отправился вслед за Дэном, который летел на только что отстроенном для заказчика самолете. Мы направлялись в Таварес, чтобы заправиться и пообедать, после чего полетели на юг, в мой здешний дом. Дэн шел в связке со мной.

До сих пор я всегда бывал ведомым. Сегодня же Пафф впервые выступила в роли ведущего пары. В идеале ведомый держится позади и ниже ведущего, сохраняя такой порядок, что бы тот ни делал, и при этом не говоря ни слова — за исключением случаев, когда нужно ответить на замечание или вопрос ведущего.

Мы с Пафф дали Дэну неплохую возможность попрактиковаться в парном полете в качестве ведомого — резко поворачивали то прочь от него, то в его сторону, внезапно набирали высоту или снижались, летели медленно, а потом вдруг поддавали газу… Затем впереди показалось озеро.

— Поднять шасси для посадки на воду, — сказал я по радио.

— Второй, — отозвался Дэн. Это был его номер в нашем строю, и единственное слово, которое нужно было произнести, чтобы я понял: он знает, что делать. Описав полукруг, мы коснулись воды — вначале Пафф, а секундой позже аэроплан Дэна — развернулись по дуге и снова взлетели бок о бок.

Прилетев на мое домашнее озеро, мы присели передохнуть — два аэроплана, неспешно скользящих по водной глади на холостых оборотах.

— Ну, я полечу по своим делам, — сказал Дэн. — А ты закрепи ее, пока гроза не началась.

— Удачного полета, Дэн!

Подняв облако водяной пыли, он упорхнул на север.

А мы с Пафф поплыли к берегу и выкатились из воды на песок.

— Спасибо тебе, Пафф, — сказал я вслух.

Нет ответа. Но я знал, что моя амфибия счастлива. Я заглушил двигатель.

Некоторое время я просто наслаждался тишиной, затем взял бортовой журнал и вписал туда очередную строчку — еще один полет. После этого я выбрался из кабины, подложил башмаки под колеса своей Пафф и привязал ее крылья и хвост к крепежным петлям на земле.

На небе уже собирались тучи, но ветер оставался слабым, а озеро — спокойным. Я пошел в дом, размышляя о том, что бы такое сегодня написать в своем дневнике. Заглянул в холодильник…

Я почти никогда не слышу голос Пафф при заглушенном моторе, поэтому очень удивился, когда в моей голове раздалось:

— *Ричард, скорее сюда, мне страшно!*

«Удивительное дело, — подумал я. — Нужно спешить. Но вначале взгляну-ка я на радар, выясню, что там с погодой…» На экране плясали красно-желтые огоньки, означающие грозы — некоторые прямо над нами. Откуда они здесь взялись?..

Я пулей вылетел за дверь. Ветер нагнал на озеро барашков. Ветровые ленточки на Пафф трепетали параллельно земле, и сама она дрожала под могучими порывами. Я плотно закрыл фонарь, схватил чехлы и стал укрывать кабину и мотор, борясь с ветром, который снова и снова вырывал тесемки из моих рук. Едва я успел зафиксировать руль, вокруг застучали первые крупные капли грозового ливня. Как все это могло произойти столь быстро? Считаные минуты назад озеро было гладким, как блин.

Я взял второй набор крепежных строп и еще раз накрепко привязал крылья к земле.

— *Мне страшно. Ветер…*

— Не волнуйся, Пафф, — мысленно обратился я к ней. — Ты привязана дважды. Кабина закрыта. Руль зафиксирован. Под колесами башмаки. Ты стоишь на уклоне носом вниз. Потребуется торнадо, чтобы оторвать тебя.

— *А в прошлом году торнадо было, помнишь?*

Оно разметало самолеты, словно скомканные писателем неудачные страницы.

— В этом году такого не будет, Пафф. Не сейчас. Это самая обычная для Флориды гроза.

Дальняя сторона озера озарилась светом, я досчитал до двух, и к нам прикатился резкий свежий раскат грома, а затем и ливень припустил сильнее, вонзая в нас свои яростные мокрые жала.

— Все хорошо, Пафф. Это наша первая гроза! Разве не весело?

— *Нет! Совсем не весело! Со мной ничего плохого не случится?*

— Все будет хорошо. Нам нужен этот дождь — он наполнит озеро. Болотным растениям и животным он тоже нужен.

Для меня самого это тоже была первая настоящая гроза за много лет. Я уже и позабыл, какими сильными бывают при этом ветры. Однако, чтобы оторвать Пафф от привязи, потребовался бы самый настоящий монстр из сказки. И все равно мне тоже было не по себе.

Нисходящий порыв ветра промочил меня до нитки за секунду. Я порадовался, что купил водонепроницаемый чехол для камеры… правда, по этим снимкам не понять, насколько сильным был тот дождь, — несколько неестественных полосок, пересекающих изображение, дают лишь слабый намек. Картинка и близко не передает того, насколько мокро и ветрено там было на самом деле.

Через минутку раздался неуверенный голос:

— *Кажется, мне это нравится…*

Я понял, что это правда лишь на треть, а на две трети она просто храбрится перед лицом того, что не в силах изменить.

«Таковы уж мы, люди, — подумал я, — и те, кого мы любим».

Глава 24

Хитроумные планы мышей*

Отличные были наметки на день… Я намеревался хорошенько испытать новые летные и скоростные качества, появившиеся у Пафф после заводского тюнинга, чтобы поскорее забыть о ее старых характеристиках. А потом, если бы погода благоприятствовала, хотелось посвятить некоторое время парению в вечерних восходящих потоках. Это чрезвычайно увлекательно… Какие потоки нам удастся найти? Какова будет скороподъемность в наиболее мощных воздушных струях при выключенном двигателе?

С самого утра по озеру хлестал ветер 15 миль в час с порывами до 20. Он вдребезги разбил все наши планы по поводу водных упражнений. Ну и ладно, нам есть чем заняться: заменили опору заднего шасси и добавили пару завершающих штрихов к устройству сдвижного люка фонаря.

Затем мне позвонил приятель: знаю ли я, что на вторую половину дня прогнозируют проливной дождь с градом?

Дождь с градом?

Как Страшила любит огонь, как Железный Дровосек любит дождь, как Злая Колдунья любит, когда ее поливают водой из ведра, — так же маленькие самолетики любят град. Крупный град может в мгновение ока превратить такой самолетик в груду мусора — это все, что мне нужно знать о граде. И я знаю это совершенно определенно.

---

* Аллюзия на строку из стихотворения Р. Бернса: «Все хитроумные планы мышей и людей пошли прахом». — *Прим. перев.*

Пафф попала в ловушку — ей никуда не деться с этого берега. Ветер уже срывает клочья шерсти с барашков на волнах, а она стоит на берегу, совершенно беззащитная. Однако в моем сознании не раздалось от нее ни единого звука — она безмятежно спала. У меня было чувство, что она просто слепо поверила в меня — поверила, что я смогу уберечь ее от любой опасности.

По другую сторону озера располагаются огромные ангары «Фантазии о полете» Кермита Уикса, где размещается его огромная коллекция древних и редких самолетов. Лучшее, что я мог бы сделать, чтобы обеспечить безопасность Пафф, это перегнать ее через озеро, подняться по пандусу, подрулить к ангару Кермита и колотить кулаками в ворота в надежде, что кто-то приютит мою крошку перед лицом свирепой непогоды.

Я прекрасно знал, что мой друг не допускает чужие самолеты в свои ангары… и все равно набрал его номер.

— Кермит, ты ведь знаешь, что надвигается гроза?..

— Еще какая! Я как раз смотрю на радар. Тебе лучше поторопиться Ричард! Гони свою Пафф ко мне. Мы поставим ее в большой ангар.

— Ты себе не представляешь, как я тебе благодарен…

— Чепуха. Нет времени болтать. Ветер поднимается.

Через миг я уже был на берегу — снимал чехлы и отвязывал стропы. Ветер бил беспощадно, заставляя Пафф раскачиваться из стороны в сторону на колесах.

«Все будет хорошо, — убеждал я себя, — ведь нам нужно пройти всего лишь полмили по озеру. Только не позволяй ветру зайти к вам сбоку и подхватить ее под одно крыло. Не допусти этого. Иначе вы просто перевернетесь вверх брюхом посреди озера, а это… это неприемлемо».

Я вынул башмаки из-под колес и забрался в кабину. Главный рубильник *ВКЛЮЧИТЬ*, вспомогательные насосы *ВКЛЮЧИТЬ*, воздушную заслонку *ВКЛЮЧИТЬ*, магнето 2 *ОТКЛЮЧИТЬ*, рычаг газа в нейтральное положение.

Держи ее носом против ветра, Ричард. Все будет в порядке.

— От винта!

Включаю зажигание, и, мгновенно проснувшись, Пафф заурчала мотором. Магнето 2 *ВКЛЮЧИТЬ*. Давление масла растет, воздушную заслонку *УБРАТЬ*, рычаг газа вперед, пока не заглох мотор.

Пафф скользнула в воду без вопросов, без слов. Если пилот говорит, что мы поплывем между барашков, значит, поплывем между барашков.

Шасси *ВВЕРХ*, и мы пошли против ветра.

«Будь на моем месте Керри Рихтер, — подумалось мне, — добавил бы он газу, чтобы быстро помчаться по волнам, едва касаясь их? Нет. Он сказал бы, что нет смысла скакать по волнам и трясти самолет, если мы с таким же успехом можем скользить между волн и сквозь них».

Вот только при этом мы движемся медленнее. Разбиваясь о борта, пенные волны брызгали на лобовое стекло. Я все еще видел противоположный берег, но уже нечетко. Вот было бы здорово сфотографировать этот момент. Да, здорово, но я ничего фотографировать не буду — есть дела поважнее.

Четверть пути позади. Возврата нет. Даже не думай о том, чтобы развернуться, подставляя бок ветру.

Половина пути. Я вспомнил, что между ангарами Кермита и берегом озера стоит забор, чтобы коровы случайно не забрели на взлетно-посадочную полосу во время посадки самолета. В заборе есть ворота для коров. А для самолетов ворот нет.

Если мы поднимемся по пандусу, до ангара нам не докатиться — и Пафф будет столь же уязвима перед лицом грозы, как и на нашем домашнем пляже. Хуже: я оставил крепежные стропы у себя на берегу.

Нужно перелететь через забор — только так мы попадем к ангарам.

О возвращении не может быть и речи. Стоит подставить одно крыло ветру, и мы потонем в считаные секунды… никаких поворотов.

Полетим.

Шасси *ВВЕРХ* для взлета с воды. Закрылки *ВНИЗ* для создания максимальной подъемной силы с бурных волн. Вспомогательные насосы *ВКЛЮЧИТЬ*. Поехали, Пафф.

Я на секунду замер, кое-что вспомнив. Я не пристегнулся, будучи всецело уверен, что взлетать мы не собираемся… Щелкнули замки пристежных ремней.

Взлет с бурной воды, полный вперед. К счастью, мы сейчас двигались к наветренной стороне озера, поэтому волнение ослабло: вода сделалась почти гладкой, барашки исчезли. Фактически, последние сто ярдов озера совсем тихие — под прикрытием берега вода защищена от яростных ударов ветра. Да, Пафф, это будет трудный взлет навстречу сильному ветру, но нам хотя бы не придется преодолевать яростные удары волн.

Волны под нами становились все тише с каждой секундой, и наконец мы достигли спокойной восточной стороны озера. Теперь нам пред-

100

Нежные игры Жизни и Смерти. Путешествия с Пафф

стоит разгон по дуге вдоль берега. Мы выйдем на взлет при поперечном ветре, поэтому нужно быть готовыми к сильной турбулентности, к тому же ветер понесет нас в сторону, едва мы оторвемся от воды. Дальше все просто: подняться на пару сотен футов, сделать круг и приземлиться на травяную полосу Кермита, которая в данный момент оказалась строго по линии ветра, затем повернуть поперек ветра, осторожно докатиться до огромного ангара и обрести надежную защиту.

— Помчались, Пафф, это проще пареной репы.

Она переживала намного меньше, чем я, потому что поверила, что это действительно просто.

Полный газ, и вот она уже разбегается, отрывается от воды, набирает высоту. Ветер, срывающийся с прибрежных деревьев, неистово треплет ее крылья, яростно колотит в правый бок — и в результате нас относит в сторону быстрее, чем мы продвигаемся вперед.

Маленький самолетик вскарабкался на тысячу футов вверх и развернулся, чтобы оказаться над взлетно-посадочной полосой. Посетители «Фантазии» задрали головы… что эта лодка делает в небе, да еще и на таком ветру?

Я щелкнул переключателями шасси.

— Шасси *ВНИЗ* для посадки на землю, — сказал я вслух, затем проверил закрылки и вспомогательные насосы, стараясь удерживать Пафф как можно ровнее. Из-за встречного ветра наша скорость при посадке составила менее 20 миль в час. Затем некоторое время мы катились поперек ветра к ангару — и наконец оказались под защитой гигантского строения. Я заглушил двигатель, и Пафф преспокойно уснула. Теперь ее вера в меня стала сильной, как никогда, — практически непоколебимой.

Я закатил ее глубже под своды рукотворной пещеры, пол которой чист, как обеденный стол, нашел свободное место, достаточно просторное для Пафф, и припарковал ее там.

Вскоре прибыл и Кермит — он решил завести в ангар свой огромный B-25. Град не в силах разрушить боевой самолет, но может изрядно повредить его металлическую шкуру и оргстекло.

Нам с Пафф так и не довелось сегодня освоить новые летные приемы, не покружились мы и в восходящих потоках. Мы налетали всего три минуты.

Я пишу это пять часов спустя. Ливень с градом так и не пошел — во всяком случае, на данный момент. Зато Пафф оказалась в окруже-

нии самолетов, которым воистину есть что рассказать о своих приключениях... Кермит сказал, что сегодня она вступила в его Аэроклуб. Возле одного ее крыла припаркован *Curtiss P-40 Warhawk*, прямо перед носом — *North American P-51 Mustang*, с хвоста — *Supermarine Spitfire*,

а второе ее крыло едва не касается торпедоносца *Grumman Avenger*.

С другой стороны ангара лицом к ней стоит *Curtiss pusher* 1911 года, рядышком с ним *Sopwith Snipe* 1918 года, далее бомбардировщик *Consolidated B-24 Liberator* и биплан-амфибия *Grumman Duck*. А над ее кабиной сдвоенной башней маячит широкая хвостовая конструкция B-25.

Она похожа на мышку — самый маленький, самый легкий и самый гражданский самолет в этой компании. Пафф постоит здесь до понедельника, так как прогноз обещает еще грозы. Я думаю, что она услышит здесь не одну интересную историю о событиях, которые случились задолго до ее рождения, но так или иначе повлияли на то, какой она стала.

Я не соглашусь со строками Роберта Бернса. Планы мышей и людей не идут прахом. Если за дни своей жизни я усвоил хотя бы один урок, вот он: *То, что поначалу кажется нам катастрофой, в действительности есть неожиданный дар судьбы.*

Глава 25

Довольно спокойный день

Пафф вышла из клуба Кермита два дня спустя. Непогода ей не навредила, но моя амфибия все равно немного не в себе… она ошеломлена.

Мы довольно долго катились к началу взлетной полосы, но за все это время Пафф не проронила ни слова, не послала мне ни одной мысленной картинки о днях, проведенных в компании боевых самолетов. Я чувствовал, что молчит она из вежливости: «Если не можешь сказать доброго слова, лучше не говори ничего».

Возможно, боевые самолеты страдают посттравматическим синдромом — либо в результате военных действий, либо в результате того, что им не хватает боев, для которых они созданы? Я представил себе, каково это: в два часа ночи во время яростной грозы, гремящей, как воздушный бой, находиться в окружении бравых вояк с травмированной психикой… и мне стало понятно, почему моя маленькая амфибия не слишком отдохнула, хотя мотор ее все это время был выключен.

Пафф, которая не знает, ни что представляет собой война, ни почему она происходит, могла только молчать, слушая истории о сражениях… и продолжала молчать даже сейчас, когда мы готовились к взлету.

Ветер дул точно навстречу, и Пафф оторвалась от земли раньше, чем я ожидал, — спешила поскорее убраться отсюда. Неловкое молчание во время двухминутного полета домой, посадка возле берега, где вода совсем тихая и гладкая, тогда как в более глубоких местах она корчится под ударами странного ветра, создающего на поверхности темные, похожие на следы львиных лап водовороты. Ветер неслабый, но вокруг не видно ни одного барашка.

Мы взбежали на пляж, и я привязал Пафф. Она мгновенно уснула, не сказав ни слова.

Я надеялся еще полетать, но этот ветер вселял в меня такое же смутное ощущение дискомфорта, какое чувствовала Пафф рядом со своими военными сородичами.

Не было никаких причин отказываться от полета… разве что совсем незначительный повод: порывы ветра до 20 миль в час. При таком ветре я легко мог бы взлетать и садиться на землю, и Пафф тоже чувствовала бы себя вполне уверенно — но на воде диапазон наших возможностей у́же, чем на суше, а действовать на пределе не комфортно никому. Когда-то давно один пилот гидросамолета сказал мне: «У сухопутных пилотов тоже есть свои страхи — но страх утонуть не входит в их число».

Однако самую большую тревогу вселял не ветер, а эти часы, проведенные врозь. Сегодня между нами с Пафф не возникло связи: по какой-то причине она вела себя со мной столь же замкнуто, как и со всеми этими боевыми птицами в Аэроклубе. И все же я глубоко благодарен Кермиту Уиксу за то, что тот приютил ее, — даже если моя амфибия пока что не испытывает к нему тех же чувств.

Остаток дня я посвятил всяким мелочам: убедился, что хвостовому шасси не нужны новые подшипники; подправил подголовник; прикинул, как разместить в самолетике все вещи, которые потребуются в путешествии… Может быть, проблема в том, что мы просто слишком долго не летали — целых три дня, — а в воздухе сегодня пробыли каких-то пару минут?

Или нет. Наверное, до нее дошло, что я и сам когда-то был военным пилотом!.. «Злодей». Или дело просто в том, что моя дружба с Пафф должна пройти через все фазы человеческих взаимоотношений, включая периоды отчужденности, закрытости и недопонимания?

Я даже рад этому напряжению между нами. Такого почти никогда не случается, но раз уж случилось, пускай это будет в последний раз… Нам нужно прожить это — преодолеть и двигаться дальше.

Что ж… утро вечера мудренее.

Глава 26

На следующий день

Вот уже пятьдесят лет — с тех самых пор как я принял решение доверять собственным ощущениям — я знаю, что у самолетов есть дух. Самое удивительное подтверждение этому я описал в рассказе «Самолет — всего лишь машина», который затем стал частью «Дара крыльев». Я до сих пор сам изумляюсь той истории — а ведь она реальна!

И вот полстолетия спустя в мою жизнь вошла *SeaRey* по имени Пафф. Но в этот раз мое общение с летательным аппаратом впервые оказалось длительным и непрерывным — связь, отчетливо выраженная в чувствах-картинках, превращающихся в слова. Ощущая ее реплики в своем сознании, я не испытываю ни малейшего удивления. То, что я напишу ниже, это не ее слова, но мои — попытка передать на бумаге сложившееся между нами общение.

Оно постепенно выстраивалось между нами вплоть до вчерашнего дня, когда Пафф вернулась после двух проведенных среди военных самолетов в ангаре Аэроклуба ночей, где она пряталась от грозы.

Она не промолвила ни слова с тех пор, как вернулась из этого огромного зала. Если бы я спросил, что не так, полагаю, Пафф ответила бы: «*Ничего…*»

Нет, я не стал задавать вопросов, но отчетливо ощутил, что между нами пролегла трещина. Она зияла весь день и всю ночь. Ничто не может убрать ее, пока не сдвинется сама земля, снова соединяясь у наших ног.

Надеясь, как всегда, на лучшее и мечтая о том, чтобы наша отчужденность улетела вместе со вчерашним Ветром из Темных Земель, я отвязал свой самолетик, осуществил предполетный осмотр, откатил ее к воде и запустил двигатель.

— Доброе утро, Пафф.

Она сползла в озеро без своего обычного развеселого всплеска.

— *Ты — тот, кто ты есть теперь.*

— Ты хочешь сказать, что мы уже не те, кем мы были прежде… — сказал я и только потом понял, что она имеет в виду.

— *Ты был летчиком-истребителем. Пулеметы. Бомбы. Ракеты. Ты — разрушитель.*

— Я служил *между* войнами, Пафф. Я никого не убил.

— *Убил бы, если бы пришлось.*

— Не знаю. В то время, вероятно, убил бы…

Мне хотелось верить, что мое «не знаю» ближе к истине, чем «убил бы».

— *А сейчас нет?*

— Сейчас нет. Все это было очень давно. Ведь недаром в истребительную авиацию набирают мальчишек.

— *Ты — тот, кто ты есть теперь. Ты — не тот, кем был тогда.*

— Ага. Той ночью, проведенной в ангаре рядом с боевыми самолетами, ты выяснила, что твой пилот, которому ты до сих пор всецело доверяла, — разрушитель.

— *Ты — не тот, кем ты был раньше.*

— Пафф, я был мальчишкой. Я хотел летать! И я верил во все, что мне внушали. «Ты защитник отечества!» «Быть летчиком-истребителем почетно!»

— *Ты там был. Неужели тебе пришлось бы… если бы тебе велели… неужели пришлось бы?..*

— Пафф, ты правильно сказала. Я — не тот, кем был тогда. Если бы мне представился случай поговорить с тем мальчишкой… Знаешь, как много раз я пытался пробиться к нему, наряженному в высотный костюм, ослепленному бездумной гордостью, безоговорочно верящему словам командира — такого же мальчишки, как он сам?

— *И получилось? Ты к нему пробился?*

— К некоторым версиям этого мальчика пробился. И ведь один из них со временем стал мною… — Это был неловкий разговор… голубая вода превращалась в летучий снег отчуждения, разбиваясь о ее нос. — Нельзя ли поговорить о чем-то другом, Пафф?

— *Один из них — ты.*

— Те самолеты, с которыми ты беседовала в ангаре, это же были не реактивные машины, верно? Я летал не на таком.

— *Тем не менее все это тебе знакомо… Всю ночь одни и те же разговоры. Всю ночь!* Mustang *только и трещал: «Первый, первый, я второй, захожу на цель». Рейды, бомбежки, схватки…* Spitfire *называл войну «Грандиозным шоу». Но это не шоу! Они убивали другие самолеты. Несомненно, они разрушали также всякие вещи, и людей заодно, но главное — они убивали* самолеты!

— Они верили, что так нужно, Пафф, чтобы на земле не воцарилось рабство. Это была невиданная дотоле война… их всех приперли к стенке — и самолеты, и любивших их людей. Они верили, что бьются за свое будущее. И в этом будущем было место для маленьких амфибий, которые беззаботно купаются в солнечном свете и садятся на укромные озерца. То будущее, в которое они верили, и есть ты!

— *Верили… Но правда ли это?*

— Полагаю, на тот момент они были правы. Нам, смертным, намного проще убивать чужаков, чем пытаться понять их. Особенно когда мы напуганы и уверены, что выбор стоит жесткий: мы или они.

— *Боевые самолеты. Каждую ночь они только и говорят о том, что произошло давным-давно и уже стало историей. Каждый час… Это само по себе разрушительно!*

— Знаешь, сколько было построено боевых самолетов — *Spitfires* и *Mustangs* и *Thunderbolts*?

— *Сотни.*

— Десятки тысяч. Многие десятки тысяч. Их строили, чтобы отправлять в бой, — год за годом. Знаешь, сколько их осталось?

— *Нет.*

— Штук пятьдесят мустангов, с дюжину спитфаеров, штуки три мессершмитов, десяток харрикейнов. И всех других понемножку. Остальные погибли — десятки тысяч. Расшиблись в лепешку. Канули в море. Превратились в решето. Взорвались над землей и упали железным дождем.

Я немало думал об этом. Идентичен ли дух самолета человеческому духу? Если Пафф сама выбрала свое самолетное тело точно так же, как я выбрал человеческое, обладает ли она таким же бессмертным духом, как и я?

— Все они погибли: и тела этих самолетов, и их пилотов, и то будущее, которое могло у них быть. Они погибли, потому что у людей неизбежно есть лидеры, а лидеры требуют власти, а власть не радует лидеров, если не позволяет повелевать и сокрушать — если не может быть разрушительной.

— Ты человек.

— Я не лидер, Пафф. Если бы я был лидером, то мне нужна была бы власть, дающая возможность контролировать, принуждать и в конечном счете — убивать. Политические лидеры, религиозные лидеры, все они отчаянно стремятся…

— Ричард, прекрати!

Я моргнул. Такие разговоры отнюдь не укрепляют нашу дружбу.

— Ах, Пафф, прости. У меня тоже есть темная сторона, верно?

— Возможно, в прошлой жизни я была боевой Spitfire. А сейчас я амфибия и хочу в полной мере реализовать себя в этом качестве.

Я почувствовал ее улыбку.

— И не исключено, что тут мне понадобится твоя помощь.

«Не исключено…» Это у самолетов юмор такой. Чтобы проявиться в полной мере, моя помощь ей совершенно необходима.

А потом — о дивный миг! — в ее улыбке я увидел намек: мне тоже потребуется ее помощь, чтобы максимально реализовать себя в качестве человека.

— Куда направимся сегодня?

Она — наследница разрушителей и спасателей. И я такой же. А сейчас мы выбираем направление дальнейшего движения — как и в каждый миг своего пути.

Если за дни своей жизни я усвоил хотя бы один урок, вот он: **Мы меняемся. Мы не те, кем были прежде.**

— На север, — сказал я. — Давай-ка слетаем на север и посмотрим, чему нам нужно научиться сегодня.

И мы полетели на север.

Глава 27

День парения

Сегодня утром почти полный штиль. Озеро — зеркало безоблачного неба.

Поскольку пляж имеет уклон в сторону воды, мне достаточно только отвязать маленький аэроплан, вынуть башмаки из-под колес, и он сам катится к воде.

Сегодня я попробовал в войти в воду в туристических ботинках и уже оттуда взобраться в кабину. Если все будет нормально, то мне не придется брать в долгую дорогу дополнительную пару обуви — ведь для нас каждый фунт груза имеет значение. (Сразу посылаю весточку из недалекого будущего, которое наступило прямо сейчас, когда я пишу эти строки: Входить в воду в ботинках не стоит. Через пару часов только и мечтаешь, что о сухой обуви.)

Завожу мотор. Пафф просыпается, преисполненная веселого любопытства — все вчерашние тревоги канули в песок, вместе с водой, которая стекла с ее фюзеляжа.

— *Мы ведь собираемся парить, правда?*

Она с урчанием побежала вперед — лодка, несущая необременительный груз крыльев и знающая, что очень скоро крылья понесут в небо необременительный вес лодки… и при этом она не возражает, когда я переключаюсь с романтического настроя на технический.

Чуть поддаем газу — и на миг по бокам взлетают брызги, несколько горстей бриллиантов в солнечном свете. Пафф в очередной раз непринужденно покинула планету — и вот мы уже в открытом небе.

— Сыграем в такую игру, Пафф. На высоте в тысячу футов мы договариваемся использовать лишь минимум тяги. Представь себе, что мы — планер на пологом снижении.

«Скорость пологого снижения» — это авиационный термин, означающий такую скорость, когда аэроплан теряет высоту медленнее всего.

Для Пафф скорость пологого снижения составляет 55 миль в час. Эту скорость мы и поддерживаем — мотор тихонько урчит на малом газу. Мы бороздим области турбулентности, разыскивая сильные восходящие потоки — без особого успеха. Небольшой толчок здесь, небольшой там — достаточно для того, чтобы мы смогли по спирали подняться до 1500 футов, но потом попали в воздушную яму и потеряли все, что набрали.

— *Трудно. Трудно набирать высоту без хороших восходящих потоков.*

— Естественно, — подумал я, — но ведь мы всегда можем чуть поддать газу.

— *Это неспортивно.*

Земля выглядит так маняще — все эти бескрайние пустынные луга внизу, — что мне захотелось узнать, действительно ли вблизи они такие же шелковистые, как кажется с воздуха. Я дал *РУС* от себя, чем отвлек Пафф от поиска восходящих потоков, и мы устремились вниз, чтобы посмотреть на траву. Лужайка вполне пригодна для приземления — гладкая, ровная, совсем не затронутая цивилизацией.

А потом — Ух! — крылья Пафф задрожали в мощной теплой струе. Восходящий поток! Поддерживая скорость пологого снижения, мы пошли по спирали вверх, подрагивая под давлением поднимающегося воздуха — 1100 футов в минуту, если верить нашему прибору. Восходящий поток сошел на нет на 2500 футах — новый для нее рекорд высоты.

А сейчас она уже спит под своими чехлами и видит сны о завтрашних приключениях.

Забыл упомянуть: в воскресенье мы вылетаем в Сиэтл.

Глава 28

Знакомство с Бабушкой Кэт

В начале она была одна, Каталина и ее воспоминания.

Потом раздалось тихое урчание приближающегося пропеллера и тихий голосок:

— Бабушка?

— То были другие времена, малышка, трудные времена. Задолго до твоего рождения.

Перед нами стояла задача: спасать в океане людей, чьи самолеты канули в море. Мы разыскивали пилотов, которым удалось катапультироваться. Можешь представить себе, сколь мал человек на спасательном плоту посреди Тихого океана?

Когда я садилась рядом, пилот кричал: «Я ЛЮБЛЮ ТЕБЯ, КЭТ!»

Нас было шестнадцать. Мы летали каждый день с утра до вечера. Остальных уже нет — погибли от снарядов,

аварий, бурь… Осталась лишь я одна. Иногда я разговариваю с ними.

Все эти гидропланы… *Nancy Boat…* и *Clipper Ship…* все они здесь, в моей душе. И ты будешь со мной, Пафф.

Когда наступит твоя темная ночь, ты только направь свой зов во тьму. Если станет страшно или одиноко, знай, что я есть. Я всегда с тобой.

Никогда не забывай, малышка Пафф: подобно тому, как ты — нечто большее, чем пластик и металл, так и твой пилот — нечто большее, чем кровь и плоть. Вы оба — твой дух.

Отныне мои крылья прикрывают тебя сверху, куда бы ты ни полетела.

— *Я запомню, Бабушка Кэт! Я запомню.*

Глава 29

Мой первый
день в пути и слет

Сегодня утром Пафф потребовалось пятнадцать секунд на взлет — довольно долгий разбег, потому что я загрузил ее инструментами, запчастями и аварийным комплектом, плюс еще топливо, и я сам, и питьевая вода, и арахис, и печенюшки, и солнечные очки, и шляпа… Прощай, уютный пляжик! Прощайте, озерцо и домик.

Мы выровнялись на высоте тысяча футов. Первые клочья облаков над утренними восходящими потоками, свежий воздух, чистая речка вдоль курса. Мне безумно нравится летать с открытым фонарем — эта драгоценная опция доступна в любой комплектации *SeaRey*, причем совершенно бесплатно.

В течение получаса лечу курсом 010 градусов. Радиоэфир заполнен разговорами участников слета гидропланов в Таваресе. Кто-то, находящийся в нескольких милях к югу, спрашивает:

— Ребята, здесь кто-нибудь вообще соблюдает схему воздушного движения?

Никто не отвечает, что должно означать:

— Эй, озеро большое, всем места хватит. Если ты хочешь летать по схеме, летай!

Как и в большинстве сфер деятельности, реальная летная практика сильно отличается от того, чему учат в школе.

Вода совершенно спокойная. Мы сели на почти безупречно гладкий участок и помчались к пандусу, но весь обустроенный для приема самолетов отрезок берега оказался переполнен амфибиями и людьми — участниками слета. Я отъехал чуть в сторону и направил

Пафф в прибрежные камыши. Слишком густые заросли очень скоро остановили мой гидроплан — она как будто уткнулась в берег.

(Вид из кабины после того, как я припарковался на единственной свободной стоянке. Здесь за парковку платить не надо.)

Я заглушил мотор и вышел из кабины. Мне еще нужно было преодолеть три фута воды и тростниковой чащи.

— Подожди меня здесь, Пафф, — подумал я, бросая якорь.

— *Ага,* — пробормотала она сквозь сон.

Я прогулялся среди людей и гидропланов. Из пятнадцати самолетов, прибывших на слет на тот момент, девять были марки *SeaRey.*

Это был отличный слет — потрясающий парад аэропланов в Столице Американской Гидроавиации. Мы немножко потерлись там, а потом выбрались из зарослей и улетели на озеро Дэна Никенса. Наш первый день трансконтинентального перелета был последним днем Дэна в ангаре — он завершал капитальный техосмотр своей Дженнифер перед дальней дорогой.

Дэн предупредил, что мне нужно подготовить свою Пафф к посадкам на соленую воду, и я даже почитал, что конкретно это означает.

Когда мы садились на озеро к Дэну, я решил морально подготовить Пафф к перспективе посадки на соль — ведь я знал, что она слышала об опасностях этой процедуры и должна бы переживать. Соленая вода — кошмар для большинства гидропланов. Соль разъедает их, как кислота,

если только они не обработаны специальными антикоррозийными средствами.

Но Пафф даже не поморщилась.

— *Бабушка Кэт садилась на соленую воду ежедневно.*

Она заявила это совершенно невозмутимо. Чувствовалось,

114

Нежные игры Жизни и Смерти. Путешествия с Пафф

что это не просто бравада перед предстоящим сложным перелетом.

Дэн оторвался от своей работы и вручил мне банку *Par-Al-Ketone* (поначалу я пренебрежительно называл это вещество *паралькатон*, но Дэн прочел мне целую лекцию о том,

как важно произносить названия химических веществ правильно). *Par-Al-Ketone* представляет собой густую воскообразную массу, которую наносят при помощи кисточки.

— Чем усерднее поработаешь сейчас, — сказал Дэн, — тем меньше хлопот будет потом.

Его слова прозвучали весьма зловеще… Еще больше мне стало не по себе, когда, вручив мне банку с кистью, он добавил:

— Нужно тщательно нанести это на каждый винтик и каждую гаечку.

(Примечание: в *SeaRey* пятьсот миллионов винтиков и гаечек.)

Три часа работы с веществом подарили мне новую заветную мечту: больше никогда в жизни не прикасаться к *Par-Al-Ketone*. Но мне еще предстояло опрыскать изнутри фюзеляж и крылья своего аэроплана аэрозолем *Corrosion-X*, который должен защитить от коррозии все стойки и распорки, куда только могут долететь соленые брызги… а они могут долететь куда угодно.

За этим делом я провел еще два часа. Была уже почти полночь. Дэн завершил свой техосмотр, а я торжественно пообещал себе впредь никогда в жизни не вдыхать за один присест больше пинты *Corrosion-X* (и, между прочим, по поводу *Par-Al-Ketone* я тоже не забыл: спасибо, не нужно!).

Искренне надеюсь, дорогой читатель, что тебе никогда не придется готовить гидроплан к посадке на соленую воду. Пусть тебе лучше приснятся радостные сны о зайцах, резвящихся среди пышных трав и сочных морковок.

Я надеюсь, то же самое приснится и мне — это будет очень хороший знак на завтра.

Глава 30

Подождем до утра

Сегодня встал на место последний фрагмент мозаики: состоялся Испытательный полет Дэна и Дженнифер. Если бы она не сдала летный экзамен, нам с Пафф пришлось бы отправляться к Тихоокеанскому побережью самим.

— Можно, я полечу рядом? — предложил я.

Со стороны Пафф очень любезно сопровождать Дженнифер в этот ответственный момент. Если мы будем находиться рядом, то потом сможем сказать Дэну, какие именно части отвалились от его аэроплана во время пробного полета... Ведь знать такие вещи очень важно — а Пафф ничего не стоит оказать ему такую услугу.

Но, к счастью, Дженнифер ничего не потеряла. Вначале Дэн просто покатался по неровной поверхности на земле, чтобы проверить, как корпус выдерживает нагрузки, затем прошел на малой высоте, после чего поднялся на тысячу футов, полетал на малой скорости, совершил сваливание и набрал высокую скорость. Ничего не отвалилось. Дженнифер чувствовала себя прекрасно.

Все это перестало быть просто испытательным полетом, когда Дэн произнес:

— Поднять шасси для посадки на воду.

Но вокруг не было водоемов — я видел только фермы, поля и деревья.

Не желая переспрашивать, мы с Пафф просто выполнили команду. Аэроплан Дэна снизил скорость, закрылки пошли вниз, как будто Дженнифер собиралась приводняться... на этом крошечном пруду размером с теннисный корт! (На самом деле пруд был размером с футбольное поле, и Дэн счел его достаточно большим, чтобы научить нас взлетать с разгоном по кругу.)

Мы с Пафф уже совершали разгон по кругу, но никогда не делали этого на озере, столь маленьком, что оно требует также и посадки по кругу.

Если они это могут, Пафф, сможем и мы.

Вон они впереди нас — опускаются на пятнышко воды посреди зеленого луга и описывают круг, отстоящий от береговой линии лишь на несколько ярдов.

— *Легко!*

Я подумал: «А она понемногу меняется. Набирается опыта и уверенности в своих силах. Вот и я притворюсь, что точно так же уверен в себе. Конечно, мы это можем!»

— Шасси поднять, закрылки опустить, вспомогательные насосы включить, газ сбавить, — и мы пошли на снижение. Наше приводнение было лишь немного усложнено кильватерными волнами после Дженнифер, которые, двигаясь со всех сторон, сейчас покрыли пруд.

Едва мы коснулись воды, как к нам стремительно помчался противоположный берег. Я нажал левую рулевую педаль, удерживая крылья Пафф в горизонтальном положении, и мы скользнули вбок, зайдя в крутой вираж. Наш кильватерный след смешался со следом Дженнифер, расчерчивая поверхность рваными белыми спиралями. Мы могли бы в любой момент сбросить тягу до нуля и остановиться — но Дэн вовсе не хотел оставаться тут, он просто демонстрировал, что мы способны на посадку в таком месте. На момент, когда мы с Пафф зашли на второй круг, они с Дженнифер были уже снова в небе.

Полный газ, и через один-два вдоха мною овладевает беспокойство: сумеем ли мы оторваться от поверхности озера, прежде чем нас поймает в свои объятия берег. Но Пафф оказалась права: это совсем легко. Мы были в воздухе за считаные секунды до того, как под нами расстелилась трава.

Несколько минут спустя, когда мы шли низко над озером Апопка, Дэн сказал:

— Наша первая спасательная операция. Поднять шасси для воды.

Дженнифер коснулась волн, помчалась к красной точке на поверхности, забрала ее в кабину и снова взмыла в воздух — на все это не ушло и минуты.

Мы вернулись на домашнее озеро Дэна. Два аэроплана коснулись воды одновременно и стремительно, словно буера, промчались по волнам к пандусу и в ангар.

Мы заглушили моторы, и Дэн показал мне свою добычу. Это был воздушный шарик — красный воздушный шарик с прикрепленной к нему длинной полиэтиленовой лентой. Я не уверен, но мне показалось, что, пролетая над Дэном в тот миг, я заметил молодую черепаху, беззаботно плывущую к этой ленте, в которой она могла бы легко запутаться. Вполне вероятно, что сегодня Дэн спас этой черепахе жизнь.

Он только пожал плечами — что за пустяки! — и сменил тему... как будто извлекать смертоносные игрушки из воды для него — просто спорт.

Однако тем же вечером пришло подтверждение, что за спасение черепахи Дэн и Дженнифер были приняты в Службу Спасения Хорьков и зачислены в Первое Воздушное Подразделение — такой чести кроме них удостоился лишь один пилот гидроплана из рода людского.

Я был рад и горд за Дэна, но сам он, по своему обыкновению, не стал сразу вникать в то, сколь высокая честь и ответственность ему выпала... Он пообещал разобраться во всем этом позже, на досуге.

— Дженнифер летает безупречно, — сказал он. — Чинить больше нечего.

Нежные игры Жизни и Смерти. Путешествия с Пафф

Тем не менее он взял банку *Par-Al-Ketone* и стал смазывать каждый новый винт и гайку, которые ему пришлось заменить во время техобслуживания.

Он работал с такой неторопливой тщательностью, что я устыдился собственной небрежности при накладывании *Par-Al-Ketone*. Я вчера пренебрег его советом и не проявил должного внимания и заботы. Поэтому я решил исправить ситуацию и переделать работу.

До приступа угрызений совести:

(Честно говоря, следовало бы еще лучше обработать этот болт № 12 763 519, но мне опять не хватило терпения и я поспешил перейти к болту № 12 763 520.)

Дэну нужно было еще кое-что сделать с Дженнифер: сменить антенну на радиостанции. Этому делу он и посвятил остаток дня. А поскольку за свою жизнь я так и не удосужился получить сертификат «Мастера по ремонту радиостанций», то я заглушил собственный биологический мотор и занялся упорядочиванием внутренних архивов — хотя Дэну казалось, что я просто дрыхну.

После того как Дэн завершил установку антенны, мы все были окончательно готовы к полету. Над южной частью Флориды бушевали грозы, и прогноз на ближайшие дни был для нас неутешительным. Но мы решили эту метеорологическую проблему нехитрым способом, которым издавна пользуются авиаторы: изменили маршрут.

Мы не полетим через Эверглейдс-Сити и острова Флорида-Кис, как планировалось ранее. Вместо этого, если позволит погода, мы завтра утром направимся в сторону городка Кристал-Ривер, затем пройдем вдоль побережья Мексиканского залива на запад и только потом возьмем севернее — в сторону штата Вашингтон.

Таковы наши текущие планы. Любопытно, что принесет нам утро.

Глава 31

Какой мой самый лучший день?

Трудно сказать. Было много прекрасных дней. Но если сегодняшний и не лучший из них, то точно где-то в верхней части списка. В девять утра мы уже на крыле. Утренние туманы растворились в прозрачном небе. В этот ранний час окрестные пейзажи потрясающе красивы. Сегодняшние восемь часов полета подарят нам множество новых переживаний: уединенные острова, словно из мальчишеских снов, отказ шасси у Дженнифер, многочасовой перелет на малой высоте над девственными ландшафтами. В общем, все, о чем я мечтал, вместилось в один день — и даже кое-что, о чем не мечтал.

Эти два безупречно чистеньких *SeaRey* к концу дня покроются песком и солью. Сегодняшний перелет со временем выкристаллизуется в истории, которые наши амфибии будут годы спустя рассказывать другим самолетам в ангарах.

А вот как выглядел Дэн Никенс в первую минуту первого часа первого дня нашего трансконтинентального перелета. Он еще не знает, что менее чем через три часа его ждет аварийная ситуация в полете, которая могла

бы очень плохо закончиться для любого пилота сухопутной авиации.

Озерная синева глубже небесной:

Дженнифер идет вдоль реки, затерянной среди джунглей Флориды.

Пафф летит вдоль кромки Мексиканского залива и встречает на своем пути крайние островки из цепи Флорида-Кис:

Она долго безмолвно вглядывается в море, уходящее за горизонт на расстояние тысячи ее перелетов:

Пафф приобщается к опыту, который давно знаком Дженнифер: первая посадка на океан, первая соленая вода, первый необитаемый остров. Изумительное приключение!

Затем мы свернули на восток и полетели прочь от океана: пора заправляться.

Посадка намечалась неподалеку от стадиона Перри-Филд. Мы с Пафф выступали в качестве ведущего. За несколько сот футов до взлетно-посадочной полосы я услышал по радио слова Дэна:

— Второй не заходит на посадку. Шасси не выпускается.

Почти в любом другом аэроплане это была бы серьезная аварийная ситуация. Слова: «Не выпускается шасси» — означают, что пилоту придется сажать машину на брюхо, высекая искры из бетона взлетно-посадочной полосы. Чаще всего экипаж и пассажиры остаются невредимы, а вот самолет серьезно страдает — если только не удается как-то решить возникшую проблему в воздухе.

— Роджер, — сказал я, — ведущий продолжает полет.

Смотрю на эти слова, набранные печатным шрифтом, и качаю головой... Вот что означала эта короткая фраза для других пилотов, которые могли бы заходить на посадку на этот аэродром:

— Два самолета, которые только что снижались над аэродромом, отменили посадку. Они возвращаются в небо и сообщат дополнительно, если решат предпринять новую попытку приземления. Можете заходить на посадку, если хотите, — взлетно-посадочная полоса свободна.

А для Дэна эти же слова означали следующее:

— Я понял, что у тебя проблема. Как ведущий нашей пары, я тоже меняю планы и отменяю приземление. Сейчас я дам полный газ и поднимусь на высоту, где ты сможешь поискать возможность все же выпустить шасси, чтобы приземлиться на аэродроме. Мы с Пафф будем лететь рядом. Мы ничем не в силах помочь вам с Дженнифер, но можем хотя бы посмотреть, как ведет себя шасси: может быть, на самом деле оно опускается, а у тебя просто отказал индикатор. Если это так, мы вернемся и приземлимся на аэродроме. Если нет, полетим туда, куда ты сочтешь необходимым. Мы знаем, что у нас есть запас топлива на час полета, так что ты придумаешь решение прежде, чем двигатель Дженнифер заглохнет. Теперь ты — ведущий, а мы с Пафф — в твоем распоряжении.

На что Дэн не ответил, потому что и не нужно. В полете мы разговариваем только тогда, когда хотим сказать что-то важное. Иначе пилот не нажимает кнопку микрофона для выхода в эфир. Одна из прелестей полета состоит в том, что никто не болтает много — за некоторыми редкими исключениями. Поскольку сейчас была именно такая исключительная ситуация, я сказал:

— *SeaRey*, аварийная частота.

С этими словами мы переключились на малоиспользуемую частоту, где можно переговариваться, не мешая другим летчикам.

Мы с Пафф приблизились к Дженнифер и стали набирать высоту. Ее шасси были подняты, со стороны все выглядело нормально.

— Опускаю шасси, — сказал Дэн.

Мы наблюдали с расстояния в тридцать футов. Правое шасси опустилось, а хвостовое и левое не сдвинулись с места. Проблема не в индикаторе.

— Попробуй отрицательную перегрузку, — сказал я, что означало: «Дэн, возможно, в механизме что-то заклинило, и если ты приведешь аэроплан в состояние невесомости или перенаправишь силу гравитации в обратном направлении, проблема может исчезнуть сама собой».

А Пафф тем временем переживала за Дженнифер. Она беспокойно спрашивала:

— *С тобой все в порядке? Тебе страшно? Что делать?*

Ответ Дженнифер я перевел бы так:

— *В полете наши пилоты ничего не смогут исправить, Пафф. У меня тросик соскочил, так что левое колесо сейчас не опустится, как бы они ни старались.*

Пафф надеялась на более утешительный ответ.

— *Ты не можешь приземлиться! А если... ты ведь... но как же ты?..*

Дженнифер сохраняла прохладное спокойствие утреннего воздуха. Я почувствовал, что она лишь чуть улыбнулась в ответ на тревоги сестры.

— *Не беспокойся, Пафф. Дэн сейчас убедится, что без серьезного вмешательства не обойтись. Потом он найдет водоем, мы преспокойно сядем и причалим к берегу. За какой-нибудь час он поправит тросик. Увидишь: мой пилот может исправить любую поломку!*

Она оказалась права, как прав был и Дэн, сказав:

— Боюсь, что игры с гравитацией не помогут. Но это забавно, так что я попробую. Дай-ка мне побольше места.

Я увел Пафф подальше, и мы стали наблюдать со стороны. Дженнифер ястребом нырнула вниз, разогналась, а затем снова воспарила вверх. Это означает, что Дэн в своей кабине дал рычаг управления самолетом вперед, чтобы машина пошла по кривой вниз. На середине этой кривой в аэроплане возникла невесомость, и в этот миг Дэн перевел переключатели шасси в положение *ВНИЗ*. Правое шасси опустилось. Но не левое и не заднее.

— Не повезло, — бросил кто-то из нас.

— Давай искать воду, — сказал Дэн и снова поднял правое шасси. — Где тут ближайшая река?

Мне так хотелось, чтобы мы снова оказались в озерном крае, где нас готовы были принять тысячи озер. Но если бы наши желания превращались в булочки с корицей…

«Можно было бы вернуться в залив, — подумал я, — но пресная вода лучше. К тому же речка все равно даже ближе». Я сверился с картой.

— Немного на юг, — сказал я, — миль десять.

Мы повернули на юг, и все оказалось в точности так, как говорила Дженнифер.

Дженнифер села на реку и причалила к берегу. Рядышком — мы с Пафф. Я выбрался из кабины и подошел к Дэну.

— Некие силы решили, что нам сегодня следует пообедать в спокойной обстановке, — сказал он и достал бутерброды.

Я притащил печенье и сухой завтрак *granola*.

— Тросик со шкива соскочил, — сказал Дэн. — Никогда у меня такого не случалось.

В течение часа он неспешно устранял поломку, то и дело нарушая безмолвие речного берега звоном стальных инструментов.

То, что началось как аварийная ситуация, в итоге оказалось очередным уроком: у гидропланов есть несомненные преимущества.

Тросик вернулся на свой шкив, и мы снова поднялись в небо. Наш путь лежал на аэродром Кросс-Сити для заправки и дальше на северо-запад.

Пустынный пляж номер два: до чего же дивное чувство испытываешь, когда садишься на рябь из прозрачных мерцающих солнышек и выходишь на сахарно-белый песок добровольным Робинзоном — на час, на день, на сколько хочешь. Здесь сама собой насвистывается песенка о человеческой свободе. О праве самим решать, как нам жить. Песенка о выборе.

Мили и мили безлюдного побережья.

А также миля-другая побережья многолюдного:

Дженнифер над морем — внучка Каталины. Вы замечаете сходство? Вот так, глядя издалека, могли бы вы с уверенностью сказать, которую из них видите?

А ведь всего в нескольких милях отсюда живут люди — живут в условиях стресса и долженствования. Чтобы добраться оттуда сюда, нужно чувствовать зов и видеть путь. Требуется время, работа и любовь. В первую очередь — любовь. А еще не помешает одержимость свободой.

По поводу соленой воды Пафф сказала:

— *Неприятно. Щиплет.*

И это заставило ее еще больше уважать Бабушку Кэт, для которой соленая вода была родной стихией.

Если за дни своей жизни я усвоил хотя бы один урок, вот он: *Когда мы снова и снова встречаемся лицом к лицу с неведомым, в нас растет уверенность, что мы в силах преодолеть любые трудности на своем пути.*

Пафф и Дженнифер приняли пресный душ на аэродроме Дестина.

Вам нужно хорошее место для посадки? Южная сторона аэродрома Дестина (Флорида), оператор *Miracle Strip Aviation*. Приветливый персонал и отличное обслуживание — от мойки и заправки до бесплатной развозки по аэродрому и дармового печенья.

Глава 32

Штормы и акулы: эпическое повествование о странствиях четырех друзей

П омните, мы говорили, что крушение самолета никогда не случается вдруг — к этому всегда ведет целая цепь событий, в результате которых ситуация постепенно выходит из-под контроля?

Незадолго до того, как мы покинули пределы Флориды и отправились на запад, над Мексиканским заливом отбушевали бури. Огромный грозовой фронт, вздымающийся до высоты 60 000 футов, принес с собой град и молнии по тысяче разрядов в минуту. Такая погода отображается на экранах радаров сплошным густым заревом и отнюдь не располагает к трансконтинентальным перелетам на SeaRey.

Между тем нам пока что с погодой везло: ясное небо и ласковое солнышко, лишь изредка скрываемое безобидными кучевыми облаками. Согласно прогнозу, такое положение дел должно было сохраняться все утро, но не более. Мы с Дэном рассчитывали до грозы проскочить дельту Миссисипи — эту лабораторию бурь.

Для этого нам нужно было оторвать колеса от взлетной полосы не позже шести часов утра. Но вот они, первые пять звеньев в нашей цепи неприятностей: я не услышал сигнал будильника на своем сотовом;

я долго искал свои радионаушники, забыв, что просто оставил их в кабине самолета; метеорологи сказали, что грозы ожидаются только к вечеру; не обращая внимания на призывы поторопиться, которые посылала мне с аэродрома Пафф, и пользуясь добродушным терпением Дэна, я неспешно пытался описать в своем дневнике цвет неба в той стороне горизонта, куда мы намереваемся лететь (стоит ли сказать, что оно «подобно темному вину»?.. или же, учитывая мое отвращение к алкоголю, лучше просто назвать его «таниновым, как река Суани в тех местах, где синева ее вод неописуемо глубока»? Но ведь большинство моих читателей никогда не приводнялись на реку Суани, а поэтому просто не знают, какого цвета там вода…). В общем, по моей вине мы теряли драгоценные минуты; а когда наконец все же завели моторы и вырулили поближе к взлетно-посадочной полосе, нам пришлось долго ждать окна в плотном воздушном трафике. Стоит мне включить радио в своем самолете, и я понимаю, что в моей жизни намного меньше свободы, чем я предполагал.

В общем, по целому ряду причин мы вылетели позже намеченного — так звено за звеном создается цепочка событий, ведущая к серьезной проблеме.

После взлета шасси поднять, закрылки поднять, вспомогательные насосы выключить, показатели приборов в зеленой зоне (она называется так потому, что производители приборов рисуют зеленую дугу на той части циферблата, которая отображает давление и температуру в пределах нормы). Я занял место ведущего, поскольку Дэн хотел пофотографировать (вот и следующее звено в цепи: Ричард занял место ведущего).

Я увидел на горизонте кучевые облака — погода по пути нашего следования менялась быстрее, чем предсказывали метеорологи (еще звено).

— Строй *SeaRey*, — сказал я в микрофон (я понимаю, что летим только мы вдвоем с Дэном, но по радио я предпочитаю высказываться строго по форме — старая военная привычка), — отклоняемся на юг из-за погодных условий, курс двести тридцать, ближайший ориентир — барьерные острова в дельте реки.

— Роджер, — сказал Дэн. Ведомому не положено оспаривать решения ведущего. Точно так же и я не оспаривал его решения, когда он выполнял роль ведущего. Задача ведомого — придерживаться стандартного положения относительно ведущего. Точка. И не говорить ни слова, пока у тебя не спрашивают (если только ты не заметил вдруг, что самолет ведущего загорелся с хвоста).

Приняв решение отклониться из-за погоды, я увел нас в сторону открытого моря. Пока что над нами ясно светило солнце. Вода… ну, это еще не было бурное море, но я заметил, что на волнах уже появились барашки, да и сами волны намного более круты и неприветливы, чем бывает на озере.

Я почувствовал, что Пафф… насторожилась. Но она не слишком беспокоилась, полагая, что в случае отказа двигателя мы легко переживем посадку на эту воду — нужно лишь, чтобы пилот безупречно поймал момент для приводнения. Она верила в то, что в случае необходимости я сумею сделать все как надо, да и мотор пока что урчал ровно, без малейшего намека на проблемы.

Через час после смены курса я заметил группу дельфинов, которые плавно, словно в замедленном фильме, танцевали в пяти сотнях футов под нами. Почему-то мне подумалось, что будет разумно набрать высоту. Я не заметил, что дельфины как будто бегут прочь от непогоды.

Я намеревался пройти по дуге вдоль барьерных островов, прямо над границей заповедника на рекомендованной высоте в 2000 футов. Такая высота не обязательна — это просто рекомендация, которой пилот может и не следовать.

На поверхности воды солнечный свет стал перемежаться с тенями. Посмотрев вперед, я впервые сам увидел то, о чем не раз читал в дневниках мореплавателей: «Что это виднеется впереди? Острова ли, которые, насколько я знал, действительно должны быть где-то там, или же просто еще одна из быстро множащихся теней от туч?»

Земля осталась за горизонтом. Слева, справа, впереди и сзади было лишь синее море, отливающее зеленью на отмелях, светлое и искрящееся в местах, где сквозь тучи пробивалось солнце, темное и зловещее в тенях.

Дэн, естественно, молчал, хоть я и чувствовал, что он точно так же, как я, был бы счастлив увидеть землю. Я не сомневался, что выбранный мною компасный курс приведет нас на острова и это послужит подтверждением моих расчетов, но ключевое слово здесь «подтверждение», которое все не приходило и не приходило.

— Пафф, ты в порядке? — мысленно позвал я.

— *В порядке. Все хорошо. Только, пожалуйста, не сажай меня на воду. Мне… туда не хочется.*

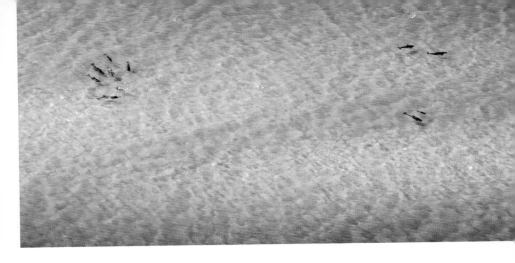

Она смотрела на это неприветливое море, и ее и без того огромное уважение к Бабушке Каталине становилось еще сильнее. Кэт провела над такими вот морями всю свою *жизнь!*

Пафф представила себе, что она ищет среди бурных волн пятифутовый спасательный плотик.

То же самое представил себе и я. Факт первый: если ты летишь достаточно низко, чтобы легко разглядеть плот, твой обзор не очень велик. Факт второй: если ты летишь достаточно высоко, чтобы охватить взглядом большие пространства, плот превращается в крохотную точку на морской поверхности.

А когда ты его увидишь, тебе еще нужно сесть на эти волны, спасти человека и снова взлететь!

Я и представить себе не мог, каково это: мчаться по неистовым водам со скоростью восемьдесят миль в час на полном газу и молиться, чтобы тебе удалось подняться в небо. Я слышал истории, что летучие лодки *Catalina* нередко теряли заклепки от ударов о волны. Так что экипажи брали с собой в полет деревянные колышки — забивать их на место вылетевших заклепок, чтобы вода не затекала внутрь. И еще я слышал, что не все Кэт и их экипажи возвращались с задания…

Острова все не появлялись, хотя должны бы уже были. Я оглянулся на Дэна и Дженнифер — человека и самолет, летевших точно в том положении, в каком должен лететь ведомый. Авиационные традиции гласят, что, если ведущий пары в результате собственной ошибки разбивается о скалу, на камнях должны остаться следы от двух ударов — свидетельство того, что ведомый был по-настоящему хорош.

Дэн, и Дженнифер, и Пафф — все они верят мне, а впереди сгущаются низкие тучи. Конечно, мы тоже можем опуститься ниже, чтобы оставаться под фронтом, но это означало бы прижаться к воде и ограничить обзор.

Я подался вперед в своем кресле, как будто это помогло бы мне что-то разглядеть. Серое море, белые барашки. Ветер усиливается — попутно боковой. «Хотя бы ветер попутный, — подумалось мне, — так что мы летим быстрее обычного».

Там, впереди! Тончайшая белая полоска? Или это случайный лучик, пробившийся сквозь плотные тучи? Прошли минуты. Прибой. Эта белая полоска — волны, разбивающиеся о песок… острова!

Какое облегчение! Мы не затерялись над морем. Мы точно идем намеченным курсом. Облака сгущаются — что с того?

Я взглянул назад, на яркие крылья Дженнифер цвета снега и неба. Сзади нас тоже настигала непогода. Нет, я вовсе не собирался поворачивать назад, ибо тогда попутный ветер превратился бы во встречный и мы едва плелись бы над этим бурным синим простором, который прямо на глазах обращался в серый свинец.

У нас были хорошие новости и плохие. Хорошие новости: я точно знал, где мы находимся. Плохие новости: из-за моего утреннего промедления атмосферный фронт, которого два часа назад здесь еще не было, теперь навис неумолимо снижающимся потолком прямо над нами.

Нежные игры Жизни и Смерти. Путешествия с Пафф

«Заповедник, — подумал я. — Рекомендованная высота две тысячи футов». Что-то я не увидел на песке подо мной никакой заповедной живности. Возможно, звери ушли из зоны прибоя, почувствовав приближение бури?

«Рекомендованная, но не обязательная…» — подумал я. Пилот отвечает за безопасность своей машины, а ведущий — за безопасность всех машин строя. Дэн и Дженнифер доверили мне свои жизни.

И мы снизились, прижимаясь к кромке этого на удивление пустынного заповедника. Действительно ли здесь нашли приют дикие животные, или этот заповедник образовался исключительно по прихоти какого-нибудь работника «Бюро аэрофотосъемки и картографии»?

Но мне было некогда размышлять о том, по каким критериям картографы размечают заповедники, поскольку справа от нас выросла стена дождя. Оставалось только двигаться вперед и надеяться, что на нашем пути не сгустится туман, оттесняя нас в сторону открытого моря.

Песок внизу был девственно чист. С наветренной стороны острова на него накатывали неистовые волны, а с подветренной было тихо и спокойно. По меньшей мере, сейчас мы при необходимости могли бы приземлиться — приземлиться и отъехать подальше от штормовых волн.

Но я не горел желанием делать это.

Крылья Пафф прогибались под порывами ветра.

— *Я с тобой.*

Цепочки решений, ведущие к определенным последствиям. Это касается не только летчиков. Каждый выстраивает свою цепочку, стараясь делать наиболее правильный выбор. Иногда нам удается добраться до надежного убежища, иногда нет.

Облака прижали нас к воде, сейчас мы летели в нескольких сотнях футов над волнами. Я всматривался вперед, в надежде увидеть просветы между туч на западе. Их не было.

Как раз в тот момент, когда я подумал, что был бы не в восторге, если бы в таком месте у меня отказал двигатель и пришлось делать вынужденную посадку, мой безупречно молчаливый ведомый произнес:

— Акулы.

Я все время смотрел вперед, а не вниз. Теперь же, стоило мне сосредоточить взгляд на волнах, и я увидел их. В бутылочно-зеленой воде под нами сновали длинные серые тени, извивавшиеся на фоне золотистого дна.

«Водоросли, — подумал я. — Эти тени — не акулы, а водоросли. Океанские растения могут принимать разные формы». Но перспектива вынужденной посадки в этих местах стала выглядеть еще менее привлекательной.

К тому же, разве акулы не глубоководные жители? Что им делать на отмели?

— *Питаться?*

— Роджер по поводу акул, — ответил я.

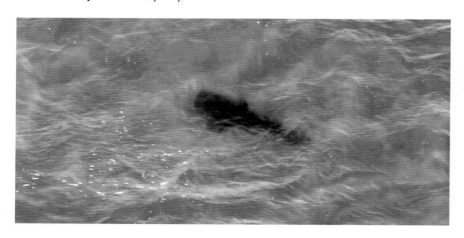

Наконец я понял. Здесь заповедник не для птиц и наземных животных, как я наивно полагал. Здесь заповедник для акул!

Если у вас когда-то возникало глубокое недоумение: «Что я вообще здесь делаю?» — тогда вы можете хорошо понять, что я чувствовал в тот момент.

— Будь со мной, Пафф, — сказал я вслух.

— *Я и так с тобой.*

Я подумал о Бабушке Кэт. «А она тоже с нами, Пафф?»

Остров позади нас подернулся дымкой и свалился за горизонт. Волны под нами разбивались об отмели, превращаясь во вздымающиеся массы летучих брызг.

Не думай о волнах. Не думай о пенных массах, акулах и сбоях в работе двигателя. Думай о полете! Представь себе, что ты — могучая Кэт, уверенно следующая на запад в сторону речной дельты и солнечного света. «Курс двести семьдесят, — подумал я. — И нет никакой разницы, находимся ли мы в ста футах над морем... будь тут хоть тысяча — это не имело бы никакого значения: в случае отказа двигателя мы неизбежно пойдем на корм акулам».

Впереди показалось нечто больше и серое. Земля? Ну пожалуйста!

Не повезло, но близко к тому. Нефтедобывающая платформа. Ажурная конструкция, увенчанная квадратной стальной плоскостью вертолетной площадки.

— Пафф, я понимаю, что тесновато, но сможешь ли ты при необходимости приземлиться на такую площадку?

Минутная тишина.

— *Против сильного ветра без порывов? Да.*

— Я имею в виду сейчас, Пафф. Ветер двадцать миль в час с порывами до двадцати восьми.

— *Нет*, — ответила она без раздумий.

Еще одна платформа, и еще. До берега не больше десяти миль.

— Акулы ведь не подходят так близко к материку, верно?

Пафф промолчала. Разговор об акулах — вне сферы ее компетенции.

Но для себя я решил, что акулы все-таки точно не подходят близко к материку, а мы уже совсем недалеко от берега…

Вдруг море у горизонта вспыхнуло ярко-зеленым цветом, а над ним — клочок голубого неба.

Тут я понял, что могу наконец вздохнуть свободнее. Да-да, это не метафора — какое же блаженство снова дышать полной грудью! А между тем вода под нами меняла цвет, превращаясь из серо-синей в грязно-коричневую. Миссисипи.

«Это пыль миллиона гор, — сказал мне Дэн позже, — принесенная в дельту. Под этим дном тысячи футов ила».

Мне сразу же захотелось поговорить с моим ведомым-геологом. Тем временем Миссисипи под нами превращалась из моря в реку, окаймленную широчайшими полями тростника, который на глазах становился изумрудно-зеленым в солнечных лучах — в долгожданных солнечных лучах!

Наконец мы благополучно приземлились на аэродроме Паттерсона, штат Луизиана, — два пилота *SeaRey* после четырехчасового перелета. И опять нам обеспечили отменное обслуживание. На этот раз постарались сотрудники компании-оператора *Perry's Flying*: топливо и стоянка, бесплатная газировка и любая помощь по первому требованию.

Мы собирались лететь дальше, но Дженнифер решила передохнуть. Она ясно дала знать об этом, когда мы по рулежной дорожке направлялись к взлетной полосе: внезапно ее мотор заглох и отказался заводиться снова — а она по инерции неспешно выкатилась на травку, растущую вдоль бетонных полос.

Дэн был озадачен. Но все стало ясно, когда он снял поплавковую камеру карбюратора. Один из поплавков по непонятной причине утратил плавучесть и утонул в бензине. В результате в мотор натекло слишком много топлива и он заглох. Новый набор поплавков придет к нам экспресс-почтой только завтра.

Заглохни мотор Дженнифер двумя часами ранее над кишащим акулами бурным морем, это доставило бы всем нам массу неудобств. Если бы Дженнифер пришлось совершить посадку, Пафф должна была сесть рядышком, невзирая на волны… Это была бы наша общая беда.

Если за дни своей жизни я усвоил хотя бы один урок, вот он: *Когда делаешь то, что любишь больше всего на свете, тебя ждут многие испытания и проблемы — но кто-то всегда присматривает за тобой сверху, кто-то ведет тебя и защищает в пути.*

Все, кроме акул, глубоко благодарны Дженнифер за то, что она дотерпела до рулежной дорожки, а не вышла из строя над морем.

Глава 33

Спокойный день в Луизиане

З десь идет битва инженерных войск против совместных сил Ред-Ривер и Миссисипи, — сказал Дэн. — Пока что инженерные войска удерживают позиции, но рано или поздно уже в ближайшую тысячу лет по реке Атчафалайа пройдет вал воды высотой в сорок футов, и на том месте, где мы с тобой сейчас стоим, будет новое дно Миссисипи.

Естественно, я не поверил ни единому слову: глупые геологические байки. Слишком много о себе воображает этот Дэн: он и геолог... и математик... юрист... магистр океанографии... инженер-гидролог... Никогда нельзя доверять всем этим грызунам научного гранита! Но из праздного любопытства я все же заглянул в Интернет.

Мы уже приняли решение остаться еще на день в отеле в Морган-Сити, но теперь мне вдруг захотелось срочно чинить мотор Дженнифер и любой ценой валить отсюда — плевать на усталость, на плохую погоду и на вероятность торнадо у нас на пути! Шутка ли: водяной вал высотой в сорок футов...

Дэн меня успокоил:

— Это вряд ли случится до нашего завтрашнего отбытия.

Я отошел от стойки портье и вернулся обратно в номер. «В конце концов, — рассудил я, — Дэн тоже собирается ночевать в этом отеле».

Так что в конце концов я засел в своей комнате и взялся за дневник. Дэн же забрал на почте новые поплавки для карбюратора и пошел их устанавливать. Теперь мотор Дженнифер работает безупречно. Вопрос в том, смогу ли я спокойно спать, зная, что может произойти в случае перенаправления «совокупного потока рек Ред-Ривер и Миссисипи в русло реки Атчафалайа, что приведет к затоплению ее прибрежных территорий, включая такие населенные пункты, как Морган-Сити, штат Луизиана». Здесь будет слой воды более десяти футов… уже после того, как по этим землям прокатится сорокафутовый вал.

«Вряд ли это случится до завтра, — подумал я. — Но на всякий случай добавлю-ка я 30 футов к якорной стропе Пафф и попрошу, чтобы меня переселили на пятый этаж».

Как хорошо, что у Дэна нет диплома инженера-ядерщика.

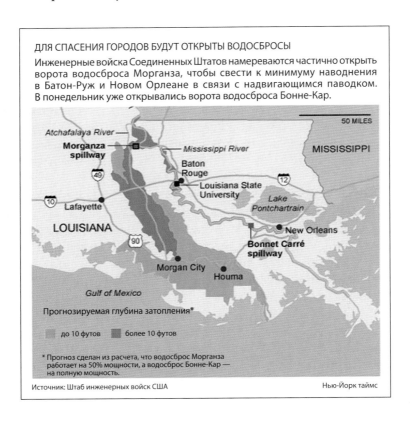

ДЛЯ СПАСЕНИЯ ГОРОДОВ БУДУТ ОТКРЫТЫ ВОДОСБРОСЫ

Инженерные войска Соединенных Штатов намереваются частично открыть ворота водосброса Морганза, чтобы свести к минимуму наводнения в Батон-Руж и Новом Орлеане в связи с надвигающимся паводком. В понедельник уже открывались ворота водосброса Бонне-Кар.

Прогнозируемая глубина затопления*

до 10 футов   более 10 футов

* Прогноз сделан из расчета, что водосброс Морганза
работает на 50% мощности, а водосброс Бонне-Кар —
на полную мощность.

Источник: Штаб инженерных войск США   Нью-Йорк таймс

Нежные игры Жизни и Смерти. Путешествия с Пафф

Глава 34

Потрясающий денек

Бывает, что день поначалу вселяет тревогу, а потом ты глубоко благодарен судьбе за то, что тебе хватило отваги прожить его должным образом. Посмотрите на снимок и угадайте, в каком направлении нам нужно было лететь:

Если вы выбрали самый темный и угрюмый участок горизонта с низко нависшими тучами, вы выиграли. Теперь вам осталось только вообразить, с каким чувством человек говорит себе: «Что ж, а теперь давай взлетим и посмотрим, каково оно там».

На деле оказалось, что не так страшен черт, как его малюют… К тому же радовало, что ведущим был Дэн и все наши возможные неприятности были бы на его совести.

Едва мы взлетели и подняли шасси, оставив позади взлетную полосу, начался дождик. Что бы я ни думал по этому поводу, мне надлежало помалкивать и держаться левого крыла Дженнифер.

Мне вдруг пришло в голову, что я не имею ни малейшего представления о том, какой сейчас день недели. Я размышлял об этом почти все время, пока мы протискивались под облаками… Но сколько бы я ни силился, вспомнить никак не удавалось. Мне давно уже просто незачем знать день недели… вот и теперь эти мои гадания — не более чем досужая забава во время полета: возможно, сегодня понедельник? Ну-у, нет — понедельник был недели две назад. Тогда, пожалуй, пятница? Тоже нет. Уж не четверг ли?

Потом я понял, что мы летим через одно из таких мест, где дни в принципе безымянны. Каждый из них — просто «день».

Дождь лишь полушутя пригрозил нам от имени погоды, которой, в сущности, не было особого дела до того, летим мы или нет, поэтому мы преспокойно шли своим курсом, и вскоре он от нас отстал. Впереди показалась река Атчафалайа, которая вскоре должна превратиться в Миссисипи, а та, в свою очередь, в Ред-Ривер — и уж ей предстоит стать нашей главной магистралью до тех пор, пока она не сойдет на нет далеко на северо-западе.

Через час после взлета Дэн сказал:

— Поднять шасси для посадки на воду.

Дженнифер (которая после ремонта карбюратора стала заметно резвее) заложила крутой вираж и скользнула вниз, к реке. Вдохновленная ее примером и уверенно пробивающимся сквозь тучи радостным солнечным светом, Пафф пошла следом.

При приводнении в дикой местности пилот всегда внимательно осматривает поверхность: не плавают ли там бревна, ветки или еще что-то. Бывают также скрытые опасности: подводные камни, коряги…

Нежные игры Жизни и Смерти. Путешествия с Пафф

В этом управление гидропланами очень похоже на нашу повседневную жизнь: ведь каждое утро, вставая с кровати, мы тем самым идем на некоторый риск — но принимаем этот риск как должное.

Наш первый рискованный шаг в этот день (или тысячный, если учитывать каждую мелочь) оправдался сполна.

Мы обрели там покой, какой бывает только в безлюдных местах, вдали от электричества и от всех тех вещей, которые пляшут под его колючими пальцами. Ни тебе динамиков, ни машин, ни сирен, ни радио, ни телевизора — ничего, кроме неба и неспешного течения реки. Человек даже не догадывается, как много фоновых шумов он принимает за нечто само собой разумеющееся, пока они все не утихнут…

После того как Пафф уткнулась носом в берег, я некоторое время просто сидел в кабине, испытывая полнейшее умиротворение и бесконечную благодарность за все те трудности, радости, решения, движе-

ния, остановки, повороты, подъемы и спуски, которые привели меня сюда в этот безымянный день.

Пафф спала, но я все равно сказал ей спасибо. До чего же отважная малышка — как бесстрашно она идет в неведомое, безоговорочно вверяя мне наши жизни, несмотря на все мои ошибки и недостатки.

— Пора обедать!

Дэн принес из своего аэроплана яблоко, а я — пакет с печеньем и бутылку воды. Мы немного прошлись по берегу и уселись на песок. Почти не разговаривали — лишь молча благодарили судьбу за то, что такие дивные места и времена порой обнимают нас — независимо от того, откликаемся ли мы на объятие.

— Не так уж и плохо, — сказал Дэн, немного погодя.

Я не знал, что делать: кивнуть утвердительно («Да, неплохо») или же отрицательно покачать головой («Нет-нет, совсем не плохо»). Я ведь понимаю, что в его словах нет преуменьшения — он просто говорит о том, какая это драгоценная штука: свобода самому выбирать свой путь по жизни.

Ради этого мы сюда и пришли, именно в этом смысл нашего непринужденного путешествия на двух крохотных аэропланах — выяснить, можем ли мы вырваться из колеи повседневности и улететь прочь, чтобы каждый миг заново открывать эту простирающуюся вокруг нас планету — так долго, сколько мы выбираем здесь оставаться.

Мы пришли не ради путешествия в какое-то конкретное место, но для того, чтобы открыть: их бесконечно много, этих святилищ, физических и нефизических, — огромное трехмерное море, доступное изменчивому уму.

Нежные игры Жизни и Смерти. Путешествия с Пафф

Я размышлял об этом в течение пяти неспешных печенек или чуть дольше. Это и означает быть свободными: мы делаем со своими жизнями и своими умениями то, что хотим сами. Это наш личный выбор… мы не обязаны жить ради других.

Затем, не обменявшись ни единым словом, мы с Дэном поняли, что пора продолжать путь, не ведая цели своего путешествия — разве что найти еще один согретый солнцем речной берег.

Я подумал (и такие мысли приходят в голову большинству посетителей этой широкой неспешной реки), что передо мной расстилается тот же пейзаж, который сотню лет назад расстилался перед Сэмюэлем Клеменсом. До чего же сильно идеи Марка Твена и его юмор повлияли на меня! Мне подумалось, что сейчас его жизнь на Миссисипи сливается воедино с моей жизнью и жизнью Дэна — сливается в течении этих темных вод и в поведении этих странных песков, которые норовят поглотить человека, слишком долго застоявшегося на мелководье. (Тебе кажется, что тут мелко, только до тех пор, пока песок не затянет тебя до лодыжек, — а потом вдруг становится как-то очень и очень не по себе.)

Как приятно было бы прийти на эту песчаную отмель и остаться на денек-другой, потом перебраться на следующую и пожить пару дней там, а потом на следующую…

Когда я мальчишкой зачитывался приключенческими книгами, я очень удивился, узнав, что «пустынный остров» — это не участок Сахары, окруженный водой, но просто «пустой остров», где есть деревья, и родники, и трава, и песок, и почва, и пруды — но все это не затронуто человеческим присутствием.

До чего же мне тогда хотелось найти такое местечко — а вот теперь они повсюду вокруг меня.

Наберись терпения, дитя, и лелей желанный образ в своих мыслях…

В ближайшие пару часов мы удалились от Миссисипи и полетели вдоль Ред-Ривер — мили и мили ее стремительного течения под нами.

Уже привычный призыв:

— Поднять шасси для посадки на воду.

Но ведь под нами совсем нет песчаных пляжей — что же Дэн ищет здесь?

Он догадался, что я недоумеваю, и снова нажал кнопку микрофона, чтобы выйти в эфир:

— Хочу полюбоваться цветами.

В этих безлюдных местах цветов полным-полно. И деревьев.

Я ощутил себя невинным, как Пафф-в-человечьем-теле, и при созерцании этих девственных ландшафтов все мои высокие и быстрые полеты слились в бескрайнее и глубоко личное здесь-и-сейчас, ставшее возможным благодаря Пафф-с-крыльями. До чего же они важны, все наши друзья — люди и не люди, — с помощью которых мы открываем свои окна и двери!

Заключив в объятия реку, я обернулся, чтобы посмотреть на летящих рядом Дэна и Дженнифер. В десяти футах под ними, в мистических реках иных измерений, летели еще два параллельных Дженнифер-Дэна — тень и отражение тех, что живут в нашем мире. Как много еще иных нас движутся рядом, едва к нам прикасаясь? Трепещущие тени и отражения. Некоторые из них вовсе не знают о нашем существовании, а иные с интересом и тревогой наблюдают за каждым нашим выбором точно так же, как мы наблюдаем за ними.

Бог вам в помощь, альтернативные «я». Желаю вам приключений и открытий. Пусть свежий ветер любви всегда овевает вашу жизнь!

Позже я узнал, что Дэн в это время видел и чувствовал то же самое.

«Как много друзей и сил из иных миров незримо летают с нами день за днем», — изумлялся я.

— Мы приближаемся к концу пригодного для навигации участка реки, — сообщил Дэн. — Дальше будет слишком мелко.

Но прежде мы увидели большую песчаную отмель и… вы уже догадались:

— Поднять шасси для посадки на воду.

Эти слова очень важны. В них вкладывается твердое намерение ни за что не совершить ошибку, которая приведет к крушению. А поэтому пилоты амфибий никогда не устают произносить их вслух.

Вот что открылось нашему взору на этот раз:

Каждое новое место отличается от другого, мир понемногу меняется, неизменным остается лишь спокойное умиротворение, пронизывающее гостя.

— Знаешь, Дэн, а песок-то твердый. Мы могли бы приземлиться и на колеса!

Идея пришла к нам в голову одновременно: один самолет на берегу, другой — на реке.

— Я это сделаю, — сказал Дэн.

Он вспорхнул с реки и умчался в небо. Какое странное ощущение: остаться одному и смотреть, как улетает Дженнифер!

Но она вернется. Она просто собирается устроить для нас маленькое представление.

Ее силуэт в небе развернулся к нам носом и пошел на снижение, но она пока не выпускала шасси — Дэн осматривал песчаную взлетно-посадочную полосу. Мудрое решение… Наскочи он колесом на присыпанную песком ветку, которую видно на фотографии, и мы бы остались здесь намного дольше, чем планировалось.

Теперь, выяснив, чего следует опасаться, Дженнифер снова поднялась в воздух, повернулась носом к ветру — и на этот раз выпустила колеса, чтобы коснуться ими песка.

Так мы получили снимок, где амфибии изображены в двух разных мирах.

Мы немного полюбовались этой картиной, откорректировавшей наши представления о возможном, и тут нам обоим пришла в голову еще одна идея:

— А что, если мы попытаемся взлететь вместе, Ричард, — Дженнифер с песка, а Пафф с воды? Любопытно, кто раньше окажется в воздухе…

Здравый смысл подсказывает, что обычный самолет должен взлетать быстрее гидросамолета, так как ему приходится преодолевать меньшее сопротивление среды. Наш небольшой воздушный флот скоро выяснит, действительно ли это так.

Дженнифер отъехала на край песчаной отмели, Пафф поднялась немного вверх по реке, развернулась и встала рядом с сестрой. Мы одновременно дали ручки газа вперед для взлета. Пафф на бегу разбрасывала брызги воды, а Дженнифер — песок.

Здравый смысл обогнал, но ненамного. Через три секунды после того, как колеса Дженнифер оторвались от земли, Пафф тоже была в воздухе, и последние капли речной воды превратились в пар за ее хвостом.

Мы развернулись и легли на курс. Перевалило за полдень. Я осознал, насколько я трансформировался и слился с Пафф, а она — со мной. Например, мне уже не нужно было смотреть на тахометр, чтобы точно назвать обороты двигателя. Когда двигатель делает 4800 оборотов в минуту, звук немного другой… более низкий, чем на 4850 или на 4825. С этого дня я совсем перестал сверяться с тахометром, а лишь прислушиваюсь к собственному сердцу.

Если за дни своей жизни я усвоил хотя бы один урок, вот он: *Когда мы строим свои планы с верой в доброго духа-проводника, то находим на пути даже больше даров, чем могли ожидать.*

Дэн включил микрофон и спросил:

— Сегодня ночуем в Тексаркане?

— Ты ведущий, — ответил я.

И мы направились в Тексаркану.

«Так оно и происходит, — подумал я, — вовсе не общая страсть к гидросамолетам, но лишь общие тревоги, и радости, и приключения помогают людям во всем мире преодолевать взаимную настороженность и обретать доверие».

Глава 35

Летим, невзирая на страхи

ШАРАХ! — еще одна молния озарила тьму за окнами отеля. Мы находимся в Стивенвилле, Техас. Компьютер показывает грозовые очаги — как горящие спички, — и они движутся прямо на нас.

Прилетев сюда из Тексарканы, мы выяснили, что в ангаре места для Пафф и Дженнифер не найдется. Мы дважды привязали их стропами к земле, зафиксировали все движущиеся части, зачехлили моторы и кабины, но все равно в такую погоду (снова ШАРАХ! — и окно задрожало от динамитного гула)… в разгар этой бури мне приходится практиковать расслабление, расслабление, расслабление (ШАРАХ! — хорошо хоть не в стороне аэропорта). Я напоминаю себе: ничто не может поколебать истинную сущность Пафф, или мою, или Дэна, или Дженнифер. Наша истинная сущность — наш дух — не подвластна ни земным грозам, ни шатаниям веры в материальных мирах.

Когда мы с Дэном уходили с аэродрома, Пафф была напугана. Она видела такую грозу только раз, когда находилась в ангаре «Фантазии о полете» с компанией других самолетов из Аэроклуба. А сейчас она осталась под открытым небом при порывах ветра до 38 узлов, что означает 44 мили в час. Ветер северный, дует ей прямо в нос. Если бы не привязь, то ветер такой силы поднял бы ее в воздух без пилота — а это верная смерть.

Прогноз обещает еще южный ветер до 52 миль в час и град. Но прогнозы — это всего лишь догадки, и чаще всего они бывают ошибочными. Единственное, чего не предсказывают на сегодня прогнозы, —

это торнадо. Пускаясь в это путешествие, мы учитывали вероятность встречи с ними… подобно тому, как путешественники древности принимали во внимание угрозу со стороны водоворотов и морских драконов.

Итак, я снова напоминаю себе истину, касающуюся нас обоих: и она, и я, и все-все мы являемся совершенными проявлениями совершенной жизни. Нам невозможно причинить вред, нас невозможно разрушить — независимо от того, во что мы верим, и независимо от того, как все выглядит на поверхности. Мы здесь для того, чтобы делиться дарами своих открытий и опытом всех наших жизней со всеми существами, которые где-то когда-то могут заинтересоваться тем, что мы нашли на своем пути.

Ничто в мирах иллюзий не может затронуть или изменить наше истинное существо. В наших снах нас направляет и защищает сам тот факт, что мы спим. Нас ведет по мерцающему пути Высшее «Я», и оно принимает разные формы — по своему желанию. Оно даже может принять облик грозы, давая нам шанс испытать веру в собственное же знание о своей природе. И я собираюсь достойно пройти это испытание и провести с собой Пафф, что бы ни происходило.

Когда-то я просто не поверил бы в возможность такой сильной связи с духом самолета, какая сложилась у нас с ней. Возможно, я способен дать этому объяснение, а может быть, и нет… Но в данный момент я просто не настроен объяснять то, что так увлекает и трогает меня.

Прошло десять минут. Согласно радару, пик грозы миновал. У меня есть ощущение, что Пафф и Дженнифер (которую Пафф прозвала «маленькая Кэт» из уважения к ее богатому летному опыту) промокли и продрогли, но остались целы и невредимы. Возможно, с мотора Пафф сорвало ветром чехол. И еще я чувствую, что града не было.

Из-за моей привычки к утренним записям мы сегодня вылетели из Тексарканы позже, чем намеревались. Я радовался, что в роли ведущего выступил Дэн, и вообще был доволен, что мы снова в пути. Аэропорт в Тексаркане довольно большой — лайнеры огромных компаний, диспетчерская вышка. Раньше это был мой мир (я имею в виду не авиалайнеры, но вышки, и диспетчерское управление захода на посадку, и полеты по приборам, и навигацию в облаках — это называется «летать в системе»), но не теперь.

На борту у Пафф есть радио и повторитель сигналов радиолокатора, ибо они обязательны для полетов в определенных зонах воздушного пространства. Но эти приборы для нее не органичны, и, скажу вам по секрету, мне хочется их вырвать и выбросить, чтобы снизить вес аппарата. По сердцу и духу своему она — не магистральный самолет, а то, что пилоты называют «авиация рычагов и педалей», что не раз подтверждалось во время нашего совместного полета. А поскольку я в последнее время тоже стал «пилотом рычагов и педалей», то и не удивительно, что мы поладили.

Когда функции ведущего взял на себя я, это стало просто катастрофой. Ведомому то и дело приходилось напоминать мне, что мы летим в контролируемом воздушном пространстве (по идее, я от этого должен был бы прийти в ужас, но нет, поскольку меня посетила догадка: в данном конкретном воздушном пространстве никто на меня просто не обратит внимания).

Одно за другим я нашел три озера, на которых надеялся приводниться, но все они щетинились стволами, корягами и пнями. Когда в Техасе, перегораживая какую-нибудь реку, создают новое водохранилище, никого не волнует, что новые водоемы становятся похожи на подушечки для иголок — даже лодкам нелегко лавировать в этих лесах из мертвых деревьев, возвышающихся над поверхностью. Вода манила прохладой, но везде нас могли поджидать ловушки — даже на внешне безопасных

Нежные игры Жизни и Смерти. Путешествия с Пафф

участках тут и там таились подводные коряги, только и ждущие возможности потопить зазевавшийся самолетик.

Это был трудный перелет по жаркому дню. Реки под нами не было, поэтому я летел на высоте тысяча футов и выше, чтобы в случае отказа двигателя иметь возможность найти просторную площадку и спланировать на нее. На этой высоте полным-полно восходящих потоков, переломанных и порванных ветром — воздух грубый и неровный, как будто ты летишь среди глыб тающего льда. В жизни и в полете бывают дни, когда нужно просто стиснуть зубы и пробиваться через любые турбулентности на пути. После двух с полови-ной часов такого полета я был очень рад приземлиться для заправки.

Затем, прежде чем нас заболтало до смерти, Дэн нашел реку. Эта местность очень напоминает бандитское логово «Дырка в стене» из вестерна «Бутч Кэссиди и Санденс Кид». Никогда прежде я так не радовался, услышав слова Дэна:

— Поднять шасси для посадки на воду.

Мы с Пафф приводнились в сотне ярдов ниже по течению от Дженнифер.

— Я хочу исследовать вон ту бухточку среди скал, — сказал Дэн.

Пока мы разворачивались, чтобы плыть за ними, их обоих уже и след простыл.

Мы проследовали вдоль берега и обнаружили проливчик в два размаха крыльев шириной. Он вел в потаенный водный парк.

После жаркого колючего воздуха и всех этих гроз, заставлявших нас отклоняться от курса то влево, то вправо, это был истинный рай.

Мы неспешно катались по дивной заводи, окуная руки в прохладную воду, и вскоре я почувствовал, что снова готов к болтанке.

Дженнифер опять проскользнула через тайные ворота залива — Пафф за ней.

Мы взмыли в воздух и возобновили свой ухабистый полет в сторону Абилина, но скоро Дэн сообщил приятную весть:

— В Абилине гроза. Приземляемся ближе, в Стивенвилле.

В результате сегодня мы пробыли в воздухе всего четыре с половиной часа, но с меня и этого было достаточно.

Когда мы заходили на посадку, небо на севере налилось свинцом — там разбили свой лагерь грозы.

Оказавшись на земле, мы поставили самолеты на двойной крепеж и тщательно их зачехлили, готовя к возможной ночной непогоде.

Если за дни своей жизни я усвоил хотя бы один урок, вот он: *Старайся делать все наилучшим образом: тем самым ты призываешь своих небесных ангелов, чтобы они могли заметить тебя сквозь грозовые тучи.*

Глава 36

Приходит утро

Н очь молний минула. Грозы растаяли с рассветом. Придя рано утром на аэродром, мы с Дэном обнаружили, что Пафф и Дженнифер целы и невредимы — они даже почти не сдвинулись с места на своей привязи.

Было ли изначально глупо с моей стороны бояться за наши самолетики, или они спаслись именно благодаря моим аффирмациям? Так или иначе, но на меня аффирмации точно подействовали — а это самое главное при встрече с силами разрушения.

Думаю, мое беспокойство не было глупым, — во всяком случае, с точки зрения смертных — ибо грозы порой ломают вещи. Наши амфибии пережили ту ночь. Чехол на моторе у Пафф действительно порвался, но его не унесло ветром в Северную Дакоту. Облегченно вздохнув, я развязал многочисленные стропы, удерживавшие мой самолетик, развернул его носом навстречу утреннему ветру и начал предполетный осмотр.

Я перенастроил высотомер, поскольку при продвижении на запад вглубь материка уровень земли постоянно меняется. Несколько дней назад при полете на высоте 1200 футов над уровнем моря земля была далеко под нами, а теперь на тех же 1200 футах мы уже едва не цепляем верхушки деревьев… А впереди нас ждут земли, вздымающиеся над морем на 7000 футов и выше.

Севернее и западнее нам предстоят суровые испытания: высокие ландшафты, высокие температуры и скалистые равнины от горизонта до горизонта.

Но независимо от того, насколько трудной или легкой обещает быть предстоящая дорога, всегда наступает момент, когда пора отвязывать стропы и отправляться в полет, правда?

Полчаса спустя мы снова были в небе — пробивались через ветер. Несколько миль мы шли над шоссе, и я наблюдал, как автомобили появлялись позади из-за горизонта, настигали нас и исчезали за горизонтом впереди. Затем ветер усилился.

Я осознал, что мир авиации делится на две категории: быстрые аппараты и те, кого обгоняют автомобили. Полагаю, те из нас, кто относятся ко второй группе, испытывают ни с чем не сравнимое удовольствие, когда ситуация меняется на противоположную, — этот приступ бурной радости, когда нам удается обогнать старый «фольксваген» на пустой дороге!

Однако очень скоро автострады остались позади, и земля под нами стала почти столь же приветливой, как лунный ландшафт перед глазами пролетающего над поверхностью астронавта. Я говорю «почти», потому что на Луне нет москитовых деревьев, растущих через каждые двенадцать футов, куда ни глянь. Дэн с Дженнифер летели над самой поверхностью, блаженно созерцая окрестный пейзаж, а осторожный я удерживал Пафф повыше — на случай, если откажет мотор и нам придется подыскивать открытое место для посадки.

Еще два дня назад под нами была одна вода — сесть можно было буквально везде, а вот теперь вдруг водоемы стали большой редкостью.

— *Тебе страшно, мой пилот?* — спросила Пафф весьма самоуверенным тоном. — *Но ведь у меня есть колеса!*

Сложно было объяснить ей, почему я забрался на высоту авиалиний, тогда как Дэн беззаботно летит над самыми верхушками москитов. «Да и какая разница? — подумал я. — Если откажет мотор у Дженнифер, нам с Пафф тоже придется приземлиться среди кустарников где-нибудь неподалеку».

Тем не менее каждый летает на той высоте, которая комфортна для него, а меня сегодня

154

Нежные игры Жизни и Смерти. Путешествия с Пафф

тянет повыше. К тому же при дальних перелетах над дикой местностью практикуются весьма свободные правила построения и ведомому вовсе не обязательно держаться близко к ведущему. И если Дэн не просит меня держать строй, значит, его устраивает существующее положение вещей. Даже с этой высоты мне трудно выискивать подходящие места для приземления.

Такой уж у нас сегодня расклад: совместный полет Храбреца и Труса. Мне подумалось, что это довольно распространенная ситуация. Мы инстинктивно выбираем партнеров, которые уравновешивают наши качества.

В реальности мне было легко высмотреть самолет Дэна, когда мы летели высоко над ним, словно ангел небесный, но на фотографиях задачка «Найди Дженнифер» оказывается далеко не такой простой.

Да-да, и на этой фотографии она есть. Но вам понадобится лупа.

А вот здесь уже попроще (и комфортнее в случае остановки двигателя).

Либо *SeaRey* слишком маленький самолетик, либо мы живем на слишком большой планете. Пафф настаивает, что не такая уж она и маленькая, так что вывод очевиден.

Что мы там недавно говорили о планах полета — о планах полета и о наземных службах контроля? Верно ли, что маленькому самолетику в погожий денек не обязательно передавать диспет-

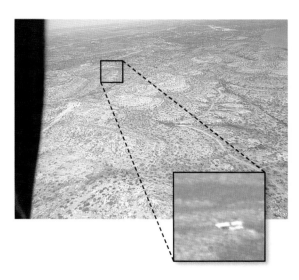

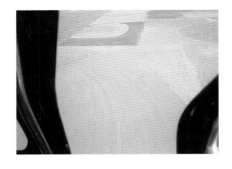

черу план полета для обеспечения своей безопасности? И разве не в этом одна из главных бед в любой истории о крушении самолетов малой авиации: «...пилот не передал диспетчеру план полета».

Звучит так, будто пилот и его аэроплан хотели просто порезвиться в небесах, чтобы за ними не надзирали всякие компетентные и уполномоченные органы, верно? Че-пу-ха! Единственная причина, почему нужно передавать кому-то план полета, состоит в том, что он дает поисково-спасательной команде хоть какие-то намеки на то, где нужно искать самолет, если он вдруг исчезнет. Никаких других причин нет. Никто ни за кем не надзирает, никто не сует нос в чужие дела — никому вы не нужны.

Но мы с Дэном ни разу не передавали свой план полета диспетчерам, и знаете почему? Потому что мы сами себе поисково-спасательная команда. Мы не хотим, чтобы кто-то разыскивал нас, если у нас вдруг поменяются планы и мы решим заночевать где-нибудь на речном берегу, вдали от рева моторов и света прожекторов. Если нам потребуется помощь, мы попросим. Если помощь не требуется или если ждать ее неоткуда, тогда спасибо, мы позаботимся о себе сами. Знаете надежный способ заставить пилота малой авиации нахмуриться? Расскажите ему, насколько опасны полеты на маленьких самолетах без плана!

Нельзя сказать, что топливо у нас подходило к концу, но мы на всякий случай повернули и пошли сквозь болтанку в аэропорт Флойдада — ибо мы оба очень серьезно относимся к наполненности наших баков. А что, если мы останемся почти на нуле, но аэропорт, в котором мы рассчитывали заправиться, вдруг... ну не знаю... закроется? И хотя вероятность такого события практически равна нулю, ответственный пилот всегда ее учитывает.

— Опустить шасси для посадки, — произнес Дэн, и Дженнифер стала поворачивать для захода на посадку.

Ветер дул поперек взлетно-посадочной полосы, да к тому же еще и со скоростью 20 миль в час. Я намеревался при заходе подвернуть Пафф в сторону ветра с поправкой в десять градусов или около того.

— Виски-Танго, захожу на посадочную прямую, — сказал Дэн.

Мы с Пафф тоже совершили необходимый маневр, чтобы приземлиться вслед за ним.

Но Дженнифер не села. Она вдруг вновь набрала высоту и пошла прочь от взлетно-посадочной полосы.

— Второй, — сказал Дэн, — они перестилают аэродром.

И действительно, под нами была полоса из жидкого черного гудрона, почти не стынущего под послеполуденным южным солнцем. Дженнифер описала круг и подняла шасси. Как раз в этот миг в наушниках раздался голос из радиоэфира:

— Аэропорт Флойдада закрыт. Вниманию самолетов над аэропортом Флойдада: посадка запрещена.

— Роджер, — ответил Дэн.

— Простите, парни, — сказал голос, преисполненный техасского радушия.

— Нет проблем, — сказал Дэн.

Нет проблем? Ну конечно, Дэн, когда случается почти невероятное и аэропорт действительно оказывается закрыт, у нас действительно нет проблем, потому что мы не идем на заправку на последних каплях топлива, а всегда оставляем некоторый резерв.

— *SeaRey* второй, — обратился он ко мне, — летим в Плейнвью. Двадцать пять миль.

Все, что мне было нужно, — это нажать кнопку включения микрофона и сказать:

— Роджер.

Быть ведомым — дело нехитрое.

Дэн вызвал аэропорт Плейнвью на местной радиочастоте (поскольку вы скоро собираетесь учиться на пилота, вам будет полезно знать, что она называется «юником»).

— Говорит Плейнвью. Направление ветра двести сорок, сила ветра семнадцать с порывами до двадцати девяти.

Двадцать девять узлов — это 33 мили в час, и этот ветер дует под углом двадцать градусов к взлетно-посадочной полосе 22. Слишком много технических терминов, да? Но вы уже пролетели вместе со мной и Дэном достаточно много, чтобы помнить: взлетно-посадочным полосам присваивают номера в соответствии с их компасным направлением. Полоса 22 расположена под углом 220 градусов по отношению к магнитному меридиану. Поэтому ветер с направления в 240 градусов дует на эту взлетно-посадочную полосу справа под углом 20 градусов.

Но на данный момент мы с Пафф уже просто смеемся над поперечными ветрами. (Смеемся, пока находимся в небе. Когда же ветер приносит грозу, а мы стоим на земле, тогда нам не до смеха.)

Не могу ручаться, что Дэн и Дженнифер пребывали в радостном расположении духа, когда садились на бетон, чуть повернув нос по ветру, но выглядели они очень задорно. Посадка прошла как по нотам. Следом за ними спустилась с небес и Пафф.

— *Проще пареной репы,* — сказала она. Эти слова в последнее время звучат из ее уст даже чаще, чем из моих.

— Будь осторожна, Пафф, — сказал я, — самонадеянность в полете опасна.

— *Фигня!*

Она уже надо мной посмеивается… и я понимаю, что теперь мне придется проявлять осторожность за двоих: за нее и за себя.

Мы откатили машины к заправочной колонке, и Дэн узнал, что в аэропорту есть свободный ангар, где можно поставить самолеты на ночь! Очень кстати при таком ветре.

Когда, оставив аэропланы в надежном укрытии, мы ехали в гостиницу, я спросил Дэна:

— Зачем вы с Дженнифер летели так низко? Если бы ее мотор заглох… Мы даже со своей высоты не могли подыскать подходящее место для посадки. Сплошные кусты и камни!

Он посмотрел на меня с удивлением:

— Ты шутишь? Там было полно места! При таком ветре наш послепосадочный пробег составил бы считаные футы. Я пару раз даже собирался приземлиться, чтобы показать тебе, — но там нечего было фотографировать.

Нежные игры Жизни и Смерти. Путешествия с Пафф

Я вынужден был признать, что он, наверное, прав. Когда *SeaRey* приземляется на скорости 35 миль в час, а скорость встречного ветра составляет 25 миль в час, ее колеса движутся относительно земли со скоростью всего 10 миль в час. Вполне благоприятные условия для посадки на маленьком пятачке.

Дэн вернулся в аэропорт, чтобы разобраться с упрямым карбюратором, который теперь вздумал выплевывать топливо наружу. Мотор Дженнифер работает без сбоев, но транжирит бензин, и с этим нужно что-то сделать, прежде чем мы полетим через континентальный водораздел.

— Я рад, что сегодня у нас есть этот ангар! — сказал Дэн за обедом по возвращении в отель.

— И почему же ты рад этому? — спросил я.

— Ветер! Когда я работал в ангаре, временами ветер грохотал, как грузовой поезд. Говорят, так шумит торнадо. Я раньше никогда ничего подобного не слышал… Весь ангар дрожал!

«Благодарю вас, ангелы-хранители, — подумал я. — Благодарю тебя, Бабушка Кэт! Совсем недавно вы сберегли самолетики во время грозы в Стивенвилле. А теперь, когда впервые во время нашего путешествия мы оказались в зоне торнадо, вы предоставили уютный ангар для наших птичек!»

Я верю, что в своих странствиях очень важно не забывать благодарить своих незримых защитников, которые то и дело заслоняют нас своими крыльями от опасности… Если бы я был ангелом, меня бы радовала благодарность смертных.

Если за дни своей жизни я усвоил хотя бы один урок, вот он: *Чем тверже наша вера в то, что в своей жизни мы получаем незримое руководство, тем больше помощи приходит к нам с каждым днем.*

Глава 37

Кто-то присматривает за мной

Сегодня утром, когда мы пришли в ангар, снаружи выл ветер, грохоча жестяными стенами. И угадайте, что лежало на полу в нескольких дюймах от носа Пафф:

Это перышко на многих уровнях напомнило мне несколько вещей: наше воображение приносит зримые плоды; в мире есть много явлений и процессов, которые не видны глазу; на выбранном пути нам служат проводниками тонкие силы.

Конечно, это перышко оказалось возле Пафф совершенно случайно. Птицы любят вить гнезда под крышами ангаров. Но других перьев на полу не было, и мне не удалось припомнить, чтобы я когда-то в прошлом находил птичье перо возле своего аэроплана.

В этот день мы с Дэном решили, что к предстоящему перелету через горы нужно отнестись со всей серьезностью. Если карбюратор Дженнифер барахлит, если по всей округе с воем носятся ветры со скоростью тридцать миль в час, если нас интуитивно настораживает перспектива лететь через большие горы на маленьких аэропланах, значит, сегодня нам предстоит отдыхать и готовиться. Наши нынешние планы определяются тремя факторами: не летим, не летим, не летим. Отдыхать и готовиться — вот что нам нужно.

Дэн сегодня встал пораньше, чтобы провести летные испытания карбюратора. Вернувшись в отель, он сообщил, что к северу и западу от нас бушуют циклоны с ветром 50 миль в час. И это не прогноз, а актуальные сводки по Техасу.

Еще до вылета из Флориды я писал в своем дневнике, что при расчете продолжительности путешествия нужно добавить пару дней «на случай, если нас задержат ветры в Техасе». Вполне обычная ситуация для легкой авиации… но все равно удивительно, до чего четко сработала моя интуиция. Или я просто накликал эти ветры силой мысли?

Летные испытания Дэна показали на удивление хорошие результаты. Расход топлива составил 4,9 галлона в час при 5000 оборотах в минуту — в точности такая цифра указана в паспорте мотора. Но при этом карбюратор продолжает выплевывать топливо на пропеллер, а это никуда не годится.

— Позвоню завтра спецу по двигателям, — сказал Дэн, — спрошу, что делать.

Мы оба согласились, что день для полета неподходящий. Самое время поработать с аэропланами — устранить незначительные неполадки, отчистить их от грязи и пыли.

Я подсчитывал — пока поправлял питометр на Пафф, снимал нагар с глушителя и отмывал фюзеляж пресной водой — я все время подсчитывал случайности, которые привели нас в этот надежный ангар в разгар непогоды.

Как раз в это время ветер с новой силой замолотил кулаками по стальной крыше, напоминая мне, как нам повезло, что мы не оказались в положении незадачливых героев сказки «Три поросенка», — ибо проект ангара из соломы был отвергнут и сооружение построили из металла.

Итак, я подсчитывал. Если бы вчера взлетные полосы аэродрома Флойдада не залили свежим гудроном — а ведь это был единственный день лет за двадцать, когда аэропорт был закрыт, — мы с Дэном заправились бы там и не приземлились бы в Плейнвью.

Мы пролетели бы мимо этого аэродрома, где в ангарах полно свободного места… а ведь во всех других аэропортах на нашем пути до сих пор ангары были заполнены до отказа.

Мы нашли это убежище как раз в тот момент, когда отец всех пыльных чертей пронесся над Пафф и Дженнифер, грохоча, как товарный поезд… При этом, к счастью, торнадо оказался недостаточно сильным, чтобы разнести в щепки сами ангары, сокрушая прячущиеся в них самолеты, — как он, несомненно, сокрушил бы их, если бы они были просто привязаны под открытым небом.

Благодаря тому что мы здесь остановились, Дэн сумел в спокойной обстановке отремонтировать свой мотор, чтобы он соответствовал заводским спецификациям, — пусть даже и не решил пока проблему с разбрызгиванием топлива.

Благодаря тому что мы здесь остановились, я узнал, что переливная камера радиатора у Пафф должна всегда быть заполнена хладагентом минимум наполовину — нельзя допускать, чтобы она опустела. Если бы мы не совершили этот неспешный осмотр своих аппаратов, Пафф улетела бы в 95-градусное* небо над горами почти без охлаждающей жидкости, а я не купил бы хладагент, чтобы залить в радиатор (и еще канистру про запас).

Если бы мы здесь не остановились, Дэн не заделал бы прокол в правом шасси, который хоть и слабо, но травил воздух.

А еще Дэн не смастерил бы новое приспособление для стояночной блокировки руля взамен того, что пропало во время ночной грозы в Стивенвилле.

А еще, если бы не этот наш тщательный осмотр, то я не нашел бы свои солнечные очки, упавшие между сидений и завалившиеся аж на дно фюзеляжа.

И Дэн не принял бы решение оставить в аэропорту целый ряд тяжелых предметов, чтобы максимально облегчить Дженнифер для предстоящего пути.

---

* Имеется в виду 95 градусов по Фаренгейту. По Цельсию — около 35 градусов. — *Прим. перев.*

Когда мы вчера тряслись в раскаленном воздухе, до меня дошло, что период тренировок для нас закончился. Мы уже не готовимся к путешествию — мы его *совершаем*. Плейнвью — одно из немногих мест на несколько сотен миль, где мы могли отдохнуть и подготовиться к дальнейшей дороге — что мы и сделали. Я не удивлюсь, если на протяжении следующих 1800 миль полета нам больше ни разу не найдется местечко в ангаре… хотя, конечно, могу и ошибаться. (Весточка из будущего: совершенно верно. До конца этого путешествия Пафф и Дженнифер больше не представился случай спрятаться под крышей.)

Если бы не свежий гудрон на той взлетно-посадочной полосе, которая теперь осталась где-то за южной стороной горизонта, и не целый ряд других благоприятных совпадений, я не нашел бы сегодня утром перышко около моего аэроплана.

Глава 38

Решения

Сегодня у нас с Дэном была долгая дискуссия, в ходе которой мы анализировали многочисленные «за» и «против», «с одной стороны» и «с другой стороны»… И мы пришли к заключению: в этом путешествии нет ничего такого, ради чего стоило бы рисковать жизнью или своим верным аэропланом.

У нас нет сроков, в которые нужно вложиться во что бы то ни стало — пусть даже ценой жизни. Нет строго определенного маршрута. Не случится ничего страшного, если мы задержимся где-то дольше, чем рассчитывали. И ни одна фотография не стоит того, чтобы погибнуть, делая ее (хотя Дэн, кажется, в этом не убежден).

Мы договорились, что отныне и впредь, если кто-то из нас двоих совершит вынужденную посадку в неудобном месте и после этого выйдет из аэроплана, будучи явно в добром здравии, второй не станет приземляться рядом, а отправится в ближайший аэропорт, чтобы организовать спасательную экспедицию на машине или на вертолете.

Если же тот, кому пришлось совершить вынужденную посадку, находится не в добром здравии или вообще не выходит из кабины, тогда второй приземляется рядом независимо от ландшафта и оказывает помощь.

(*Примечание*: Моя интуиция подсказывает мне, что в погоне за удачным кадром Дэн всегда готов подлететь вплотную к совершенно непроходимым скалам. Если в таком месте у него заглохнет мотор, именно нам с Пафф придется стать спасателями для него с Дженнифер. Обратная ситуация маловероятна, потому что мы с моей амфибией не склонны к рискованным выходкам.)

Я чувствую себя, как мистер Фелпс из старого сериала «Миссия невыполнима»: «Если вы решите взять на себя выполнение этой миссии…» —

и кассетная пленка превращается в дым. Разница лишь в том, что мы уже заведомо взялись за выполнение «этой миссии» — и не имеет значения, что она невыполнима. В такие дни я допускаю, что целыми днями валяться на диване — вполне мудрый жизненный выбор…

После того как решения приняты, нужно воплощать их в жизнь. Дэн с утра позвонил по телефону и заказал для Дженнифер новый карбюратор, который должны экспресс-почтой доставить нам в номер. Моторный гений из Флориды утверждает: если карбюратор плюется топливом, а во всех других отношениях работает безупречно, значит, проблема в самом карбюраторе.

Это задержит нас в Плейнвью на пару дней, и за это время мы можем поменять Дженнифер агрегат заднего шасси.

Пафф некоторое время назад говорила, что и ей не мешало бы поменять тросик в механизме втягивания заднего шасси, потому что старый поизносился.

Дэн внимательно осмотрел тросик. У него разорвались только две или три жилки.

— Все в порядке, — заявил он. — Она еще может летать и летать, прежде чем потребуется замена.

(Пафф ценит и уважает опыт Дэна. И все же ей хотелось бы при первом удобном случае получить новый тросик — так она будет чувствовать себя комфортнее.)

Все эти ремонтные операции не критичны. Вероятно, мы прекрасно пролетели бы вторую половину страны и без ремонта. Ко всем этим действиям нас побудил неугомонный дух «Что, если»: что, если карбюратор откажет над каким-нибудь ущельем в горах, станешь ли ты сожалеть, что не исправил неполадку, когда у тебя была такая возможность? Да или нет?

Так приблизительно и протекал наш разговор о том, ради каких вещей стоит жертвовать жизнью (или ставить себя в положение, когда ты можешь оказаться на обломках аэроплана в горах перед перспективой недельку-другую прожить в медвежьем лесу, питаясь сосновой корой и иголками).

Утро было неожиданно холодным, так что я вытащил из своего походного набора свитер с капюшоном и сменил сандалии на ботинки.

Я наполнил радиатор и переливную камеру, вытер с мотора расплескавшийся при этом хладагент, нашел свой запасной швейцарский офицерский нож «для побега и спасения, ремонта и разрушения, защиты и

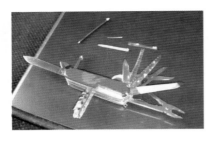

нападения» и подарил его Дэну, чтобы он не клянчил по каждому поводу мой.

После церемонии дарения (которая, как я полагаю, доставила ему намного больше радости, чем он выказал) Дэн внес некоторые коррективы:

— Спасибо тебе за мой швейцарский офицерский нож для побега, спасения и ремонта... Ведь ты же не думаешь, что нам придется нападать и разрушать?

Я согласился, ибо нападение и разрушение в мои планы не входит — в любом случае, не с использованием инструментов, которыми укомплектован нож.

Больше нам с нашими самолетами делать было нечего. Дэн заметил какое-то странное сооружение на другом конце аэродрома, и мы поехали посмотреть, что это.

При ближайшем рассмотрении оказалось, что это *Lockheed T-33A*, первый реактивный самолет, на котором мне довелось летать. Без дополнительных баков на кончиках крыльев, с помутневшим стеклом фонаря, с запечатанными воздухозаборниками двигателя — но это был он.

Вероятно, мы оба — и *T-33*, и я сам — теперь уже имеем довольно потрепанный вид, но времена, когда мы летали вместе, до сих пор еще сверкают в нашей памяти отполированным серебром.

Я принялся рассказывать Дэну о тех деньках. О том, что система кондиционирования в машинах серии *T* была устроена так, что при высокой влажности воздуха на полном газу на плечи пилота начинали сыпаться маленькие круглые снежинки. И о том, насколько надежными и верными были эти машины. И о том, что нужно было очень внимательно следить, чтобы дополнительные топливные баки на концах крыльев были закреплены как следует, иначе после взлета топливо могло вытечь из одного бака, в результате чего самолет терял устойчивость. А также о том, что случалось, если пилот слишком медленно входил в поворот на рулежной дорожке и носовое шасси становилось поперек движения... а случалось вот что: пилоту приходилось давать полный газ, одновременно со всей дури нажимая на одну из педалей тормоза, чтобы выровнять колесо, а реактивный движок тем временем сдувал все незакрепленные предметы куда-то за горизонт.

А вот теперь, каких-то полвека спустя, он стоит на пьедестале... Потом мне подумалось, что Дэн, должно быть, воспринимает все эти

Нежные игры Жизни и Смерти. Путешествия с Пафф

мои рассказы о славных былых денечках приблизительно так же, как я когда-то воспринимал байки одного древнего пилота. «Ну так вот, сынок, у наших *Sopwith Camel* были еще роторные двигатели, так что эта машина поворачивала налево как бешеная — никакой *Fokker* в «воздушном цирке» барона Рихтгофена не угнался бы за твоей *Camel* в левом вираже! Ах, видел бы ты их в деле, этих пилотов из эскадрильи «воздушный цирк»… До чего же искусно они умели подобраться незамеченными, мерзавцы, — вот его нет, а вот он уже прямо перед тобой…»

Самолеты, на которых я летал, уже стали достоянием истории: и *F-84*, и *F-86*, и даже вся серия *F-100*, которые во время моей службы были последним словом в авиации. *F-100*, *F-101*, *F-102*, *F-104*, *F-105*, *F-106*… их тогда еще называли «Серия столетия»*. В моей памяти они так и остались новенькими секретными машинами — хотя сегодня их можно увидеть разве что на пьедесталах с помутневшими стеклами кабин и запечатанными воздухозаборниками.

Странно: на этой планете стареют вещи, но не их дух. Мне это странно потому, что достаточно одного воспоминания о вчерашнем дне — одной мысленной искры — и древний самолет снова оживает. Я могу уверенно сказать, где у этого *T-33* расположен датчик топлива, могу отличить рев двигателя этой модели при запуске двигателя, могу без запинки сказать, какую скорость нужно поддерживать при заходе на посадку на *F-84F* (140 узлов, плюс по пять узлов на каждую тысячу фунтов горючего у тебя в баке, превышающую две тысячи), могу рассказать, какое ощущение испытываешь, когда нажимаешь кнопку *ATO*, чтобы запустить четыре реактивных стартовых ускорителя при взлете.

Металлические тела на пьедесталах — вознесенные могилы. Но их дух еще жив в снах о былых полетах и о тех парнях, которые забирались в кабины, зажигали огни и показывали оттопыренный большой палец техникам на земле: «Убирайте башмаки из-под колес!»

Ни слезинки утром — почему же сейчас, когда я пишу эти строки?

---

* Игра слов: *Century Series* можно перевести как «Серия столетия» или как «Сотая серия». — *Прим. перев.*

Глава 39

Техобслуживание и неожиданная встреча

Рон Робинс из тех парней, что вызывают симпатию с первой же секунды общения. Он держит ремонтный ангар в аэропорту Плейнвью. Сорок лет Рон имеет дело с аэропланами: летает и ремонтирует, возвращая их в небо. И здесь, вдали от всех морей, смотрите-ка, кто проскользнул в наш мир видимых форм — на стене его ангара висит изображение Бабушки Кэт!

Ее воспоминания о былых полетах все еще с ней, и я готов поспорить, что они столь же свежи, как мои. А ведь должен же быть какой-то способ сделать ее воспоминания нашими общими, если мы этого хотим, если ценим уроки, которые она усвоила в своей жизни и которыми желает поделиться с нами, верно? Я надеюсь, что вы ответите: «Конечно!» И я ожидаю новых подтверждений нашей связи с ней во время дальнейшего путешествия с двумя Маленькими Кэт.

Сегодня с утра до вечера занимались техобслуживанием — закончили только час назад. За этот день Дэн поменял карбюратор, обнаружил проблему в другом карбюраторе и устранил ее (в этом моторе два карбюратора), заменил свечи зажигания, заменил агрегат заднего шасси, изобрел приспособление, предотвращающее проблемы с механизмом выпуска шасси, — и перед самым закатом отправился в испытательный полет. Приземлился уже в сумерках. Дженнифер летает безупречно.

Завтра рано утром мы намереваемся по дуге отправиться на север, в Нью-Мексико.

Сейчас поздно, мне пора уже спать, поэтому я пишу в спешке, но мне хотелось, чтобы вы тоже ощутили то удивление, которое испытали мы, встретив здесь Бабушку Кэт. Приятно было найти подтверждение, что она сопровождает нас в этом путешествии.

Пожалуйста, подсчитайте сами, какова была вероятность увидеть здесь такое напоминание.

Глава 40

Мечи над водой и субъективное восприятие полета

В 7:30 наши шасси оторвались от взлетно-посадочной полосы аэродрома Плейнвью. Колеса еще долго вертятся после того, как ты взлетел и поднял шасси. Если это действует на нервы, просто подтяни рычаг тормоза.

Мы свернули на запад. Воздух нежен, как атлас. Мы отпустили рычаги — самолеты летели сами по себе, на северо-запад, в сторону возвышенности.

Первое время каждый клочок земли под нами был возделан — ни пятачка дикой местности, сколько видит глаз:

Мы словно скользили по шелку. Ландшафт входил под нас огромным клином, заставляя подниматься все выше и выше — как бабочки в солнечном свете. Через час ситуация сменилась на противоположную: пустынные места без малейшего намека на цивилизацию, сколько видит глаз.

По мере того как мы поднимались, воздух становился прохладнее. На семи тысячах стало совсем холодно. Но к этому моменту высота в шесть тысяч футов над уровнем моря означала бы несколько сот футов под землей, так что я предпочел мерзнуть.

Пафф каждые несколько минут обновляла свой личный рекорд высоты. На момент первого приземления моя амфибия превысила свой предыдущий рекорд почти вчетверо, но она уже научилась носить любой новый опыт совершенно невозмутимо, словно наброшенный на крылья незримый плащ. Бывают дни, когда мы ставим рекорды, а бывают дни, когда нет.

Затем мы кое-что увидели, и у нас с Дэном возникла одна и та же мысль… Это была вода.

— Шасси поднять… — сказал он и нырнул вниз, к бирюзовому самоцвету, оправленному неподвижным неприветливым ландшафтом.

Озеро Кончас расположено на высоте 4200 футов над уровнем моря, и, будучи Мистером Перестраховщиком, я стал беспокоиться, сумеем ли мы снова взлететь после приводнения, учитывая разреженный воздух? У Дэна такой вопрос не возникал, поскольку он уже делал это прежде. И мы приземлились — две трансконтинентальные утки, радующиеся возможности намочить перышки после многодневного перелета через сушь.

Как приятно! Я ощутил, что Пафф расслабилась и наслаждается этим моментом — после того, как под ее крыльями так долго была лишь Колючая Твердь. Два аэроплана некоторое время дрейфовали рядышком. Перед Дженнифер и Дэном расстилалась широкая гладь чистейшей воды, как и перед нами с Пафф. В нескольких сотнях футов впереди виднелись заросли тростника. Тростник не проблема — мы можем идти прямо сквозь него.

Дэн и Дженнифер дали газу и в облаке брызг пошли на взлет.

Помчали и мы, Пафф!

Я до отказа выжал РУД, и Пафф побежала вперед, хотя далеко не так быстро, как она делает это, находясь на уровне моря. Мы скользим, едва касаясь воды, на скорости 30 миль в час, поднимаем скорость до 35, и тростник мчится нам навстречу.

И тут я увидел, что это никакой не тростник — деревья!.. жесткие и ломкие заросли мескитового дерева! Когда реку перегородили дамбой, чтобы устроить озеро, они оказались на затопленной территории.

Деревья умерли и утратили листья, но сучья их остры, как боевые мечи. И вот эти мечи стремительно мчатся нам навстречу — если Пафф напорется на них, то мгновенно превратится в рагу. На 40 милях в час я резко рву штурвал на себя:

— Летим, Пафф! Нужно лететь!

И мы взлетели. Никогда прежде я не поднимал ее с воды так резко — она испуганно вспорхнула в нескольких дюймах над острыми, как сталь, сучьями. Я с напряжением ждал, что их когти проскрежещут по телу Пафф, но, слава Богу, тревожным ожиданием все и ограничилось. Никакого звука, кроме натужного рева мотора, изо всех сил тянущего нас в небо и медленно набирающего скорость. На 50 милях в час мы стабилизировались, я чуть приспустил ее нос, и скорость стала расти быстрее: 55… 60, 61 при стабильном наборе высоты.

Облегченно вздохнув, я испытал прилив радости и любви к этому милому существу, которое только что спасло наши жизни, взлетев там, где, казалось бы, это было совершенно невозможно.

— Спасибо, Пафф.

— *Проще пареной репы*, — сказала она, пытаясь отдышаться. Я ощутил, что она гордо улыбается.

«Проклятье, Ричард, — подумал я, — это были деревья, а не камыши! На взлете никогда не полагайся на предположения! *Никогда!*»

Мы поднимались все выше. Я проклинал себя, а Пафф полагала, что все в порядке. Мы карабкались на максимально доступную нам высоту — глубоко в объятия холода. Несколько минут спустя я снова дрожал.

Почему мне так холодно? Потому что я не геолог. Мне эти скалы под нами кажутся твердыми и острыми. Даже их красота кажется мне зловещей. Нам, хрупким смертным на хрупких самолетах, следует опасаться скал. Высота впивалась в меня своими ледяными когтями все злее с каждой новой сотней футов. Не будучи геологом, я постоянно высматривал место для посадки на случай, если откажет двигатель. Вон дорога. Похоже, она протоптана дикими лошадьми, но если бы пришлось совершить посадку, я устремил бы свою машину именно… туда…

В какой-то паре сотен футов передо мной летел Дэн, и он чувствовал себя совсем по-другому. Ему не было холодно. Он зачарованно смотрел на ландшафт под нами: утесы и расселины, высокие гнейсы и остатки горных хребтов, перетертые водами в пыль и щебень, в то время как из-под земли вздыбливались новые горы. Его кровь кипела от адреналина, а моя стыла от предчувствия какой-нибудь аварии.

А теперь угадайте, кто узнал больше нового и получил больше удовольствия от этих трех с половиной часов полета?

Едва мы приземлились в Лас-Вегасе (штат Нью-Мексико, а не Невада — высота 6877 футов над уровнем моря), я вытащил из багажа свой зимний комбинезон, искренне радуясь каждому слою утеплителя, использованному при его пошиве, а Дэн в одной рубашке восторженно расспрашивал меня, обратил ли я внимание на цвет какого-то горного откоса и не показался ли он мне странным? А догадываюсь ли я, что должно было произойти, чтобы порода сползала там именно таким вот образом — слоями?

К сожалению, на все вопросы я отвечал на редкость монотонно: «Нет, нет, нет», — нетерпеливо заправляя шарф под воротник.

Наше восприятие полета различалось настолько сильно, что даже температуру воздуха мы ощутили по-разному. По-видимому, ощущения от полета всегда глубоко субъективны. Это особенно заметно, когда летишь с человеком, который вообще боится аэропланов: «Ты чувствуешь, какую дивную свободу дает полет?» — «Ага… а когда мы уже наконец приземлимся и я ступлю на твердую почву?» Но такое случается редко, потому что птицы обычно не сбиваются в стаи с хомяками.

Мы снова пустились в путь. Я карабкался на высоту, а Дэн упивался каждой минутой, каждым пятачком этого ландшафта, подобного банке с медом, где каждый пузырёк воздуха всплывает по нескольку миллионов лет.

К полудню земля нагрелась и воздух наполнился восходящими потоками. Они вознесли нас на высоту, куда в обычных условиях пришлось бы взбираться часами. Иногда воздушная подушка поднимала нас медленно и нежно, иногда подбрасывала, словно взрыв, — аж крылья дрожали. Один из потоков выбросил Пафф на высоту почти в десять тысяч.

Шкала справа — индикатор вертикальной скорости. Тут видно, что мы поднимаемся со скоростью почти 1300 футов в минуту. Бывают и нисходящие потоки. В восходящих потоках мы снижаем горизонтальную скорость, чтобы набрать высоту, а в нисходящих наоборот — ускоряемся, чтобы проскочить через них как можно скорее.

Затем Дэн вышел в эфир и запросил диспетчерскую вышку Фармингтона. Невероятно: диспетчер направил нас на полосу с попут-

ным ветром — а это означает, что при посадке ветер гнал бы нас по бетону вперед, препятствуя торможению. Дэн терпеливо ждал. Через минуту диспетчер предложил более подходящую полосу, сориентированную против ветра, и мы приземлились.

Укрыв и привязав на ночь своих маленьких Кэт, мы с Дэном занялись каждый своим делом — он принялся разбирать фотографии, а я сел за рассказ о наших приключениях.

Теперь спать. Завтра встанем пораньше и отправимся в сторону самых живописных геологических образований (и водоемов) в этой стране.

Спокойной ночи, Пафф. Благодарю тебя за спасение наших жизней.

Нежные игры Жизни и Смерти. Путешествия с Пафф

Глава 41

Практика предвидения

Я предвидел этот кадр задолго до того, как щелкнул затвор моей фотокамеры. Именно этот кадр.

Некоторые вещи сбываются потому, что произойти — в их природе. Дэн Никенс — Индиана Джонс от геологии. Некоторые представители этой профессии вполне удовлетворяются глубинным исследованием образцов сланцевой глины и известняков и вулканических пород, которые хранятся где-то в кладовых их института. Их любимый инструмент — электронный микроскоп.

А в отношении своего попутчика я с самого начала знал: материал его геологических изысканий стремительно проносится под крылом самолета и Дэн предпочитает исследовать геологические структуры в таком ракурсе, когда любой неверный поворот может означать живописное завершение его карьеры. Сам он этого мне не рассказывал — я сделал такие выводы на основании наблюдения за его манерой вождения самолета.

Военные называют это аббревиатурой *CR* — «обдуманный риск»*. Имеется в виду, что, делая тот или иной выбор, человек знает: по всей вероятности, все закончится

___
* Calculated Risk.

хорошо. Но при этом ему прекрасно известно, что в одном случае из ста или из десяти все может пойти не так, как запланировано, и ты, если повезет, окажешься в затруднительной ситуации. А если не повезет — погибнешь.

В последние два дня мотор Дженнифер работает тихо и плавно, как швейная машинка. И вполне вероятно, что он будет урчать точно так же и еще один час, без сбоев. А если сбой все же случится, тогда единственное место, где наш Индиана сможет совершить посадку, — это протекающая внизу река с пенными водоворотами, торчащими над поверхностью камнями, а также какими-нибудь неизвестными науке речными пауками — мелкими и смертоносными.

Я сделал этот снимок, безопасно летя над верхней кромкой каньона, в стороне от пропасти, которую выгрызла в скале река приблизительно за 20 миллионов лет. Если сейчас у Пафф заглохнет мотор, мы комфортно приземлимся на какой-нибудь ровной каменистой или песчаной площадке высоко над рекой. Я передохну, поем печенья, затем отремонтирую мотор, и мы полетим дальше.

Пропасть между моим осторожным умом и любознательным умом Индианы намного шире, чем каньон, заключивший крылья Дженнифер между своими каменными стенами, — именно поэтому много дней назад я уже знал, что мне представится случай сделать этот снимок. Просто Дэну свойственно выбирать более рискованные пути, чем выбираю я.

— Если мотор откажет, — сказал бы Дэн, — нет проблем! Я сяду на воду и сплавлюсь вниз по бурной реке, как на байдарке! Милях в пятидесяти внизу река станет шире, я подыщу подходящий берег, отремонтирую мотор и взлечу!

Тебе хочется спросить, каковы его шансы выжить при сплавлении по горной реке в гидросамолете, но ты не спрашиваешь, потому что отлично знаешь: в ответ на призывы к осмотрительности Индиана лишь озарит тебя своей очаровательной ироничной улыбкой, как бы говоря: «Несчастный кабинетный геолог… ты упускаешь все самое интересное, что могут дать научные исследования!»

Таким вот образом он летел вдоль реки приблизительно в течение часа. Мотор не отказал — поэтому Индиана сумел собрать данные о геологических процессах, которых нет ни у одного другого ученого.

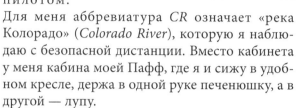

Что же касается меня, то я пилот, а не геолог и намерен оставаться пилотом.

Для меня аббревиатура *CR* означает «река Колорадо» (*Colorado River*), которую я наблюдаю с безопасной дистанции. Вместо кабинета у меня кабина моей Пафф, где я и сижу в удобном кресле, держа в одной руке печенюшку, а в другой — лупу.

Как ни странно, мы прекрасно ладим. Дэн с пониманием относится к моему жизненному выбору, а я не ворчу по поводу того, как ведет себя он. Не знаю, что могу дать ему я, а один из даров, который преподнес мне он, — вот этот прекрасный вид, который никогда не открылся бы моему взору, если бы я не летел в паре с Индианой:

По мере приближения скала становилась все больше.

Мы облетели величественный монолит по кругу. Дэн рассказал, что некогда эта каменная громада была погребена под 3000-футовой толщей земли, а обнажилась она в результате миллионов лет эрозии, унесшей все то, что находилось над ней и вокруг нее. Вблизи скала Корабль выглядит воистину непоколебимо.

Все эти потрясающие места — и скала Корабль, и долина Монументов, и Гусиные Шеи — промелькнули под нами очень быстро. Внизу пролегал путь, о котором некогда было страшно даже подумать, а вот теперь наш полет над ним стал всего лишь небольшим фрагментом путешествия Пафф к преодолению своих страхов.

Такова сила наших интересов и любовей. Сами того не замечая, мы прикасаемся к жизни других людей и изменяем ее своим выбором, своей страстью, своим наслаждением. Именно так Индиана прикоснулся ко мне и к Пафф.

Вскоре обдуманный риск Дэна (CR) действительно включил в себя возможность приземления на реку Колорадо (CR)

— Поднять шасси… — и Дженнифер опустила нос вниз, устремившись к воде на изгибе реки, где синяя гладь разлилась особенно широко.

Нежные игры Жизни и Смерти. Путешествия с Пафф

«Все, как я и мечтал, — подумал я. — Пафф способна отнести меня куда угодно, почти в любой укромный уголок, который мы только можем разглядеть с воздуха. Один из немногих аэропланов, приспособленных для посадки как вне аэродромов, так и на них, она идеальный спутник для воздушных странствий».

Пафф тоже не терпелось поскорее сесть на воду, и менее чем через минуту наши шасси были подняты, закрылки опущены, вспомогательные насосы включены — и мы слушали жизнерадостное похлопывание волн по килю. Мы повернули по большой дуге в режиме быстроходного катера и вслед за Дженнифер направились к пляжу.

— Ты в одну сторону, я в другую, — сказал Дэн, имея в виду раздвоенную бухточку с прозрачнейшей изумрудной водой. — Остерегайся подводных камней.

Это было легко, ибо на тихом ходу я видел дно как на ладони. Камни действительно были, но глубоко внизу.

Днище Пафф тихонько проскрипело по песку, я заглушил мотор, и нас накрыло пологом тишины: вокруг ни души, а река текла совершенно бесшумно.

Дэн приспособил камень под обеденный стол. Он принес печенье, а я — сухой завтрак *granola*. Поднявшись на возвышенность, мы сделали несколько фотографий:

Целый час мы дышали изысканным покоем этого берега. «Здесь можно было бы задержаться и подольше, — подумалось мне. — Привезти сюда палатку, карту звездного неба, компьютер с механическим зарядным устройством… и наслаждаться этим покоем и великолепием день за днем».

К вечеру мы добрались до городка Пэдж, Аризона, где я и пишу эти строки. Такова моя практика предвидения. Я знал, что этот день наступит, потому что планировал его, вкладывал в него свою любовь. Работал целый год, чтобы он случился. И не нужно быть экстрасенсом, чтобы отчетливо видеть такие вещи задолго до того, как они станут реальностью.

Глава 42

Исследуем большую воду

З нал ли я, что этот выход скальной породы не вулканического происхождения, а метаморфического? Нет, но теперь знаю.

Любой человек в округе, имеющий настроенное на авиационную волну радио, мог сегодня получить бесплатный урок по прикладной геологии. До своего трансконтинентального путешествия я как-то не задумывался об этом, но сегодня с потрясением осознал… вся эта страна (а теперь я не удивлюсь, если выяснится, что и весь мир) сделана из камней!

А все эти камни? Они движутся!

Мы летели себе спокойно бок о бок, два маленьких *SeaRey*, и вдруг впереди, по левую руку от нас, выросло вот это!

Вот я смотрю перед собой и вижу лишь идеально гладкую равнину. А через минуту вдруг поднимается огромное облако пыли, и откуда-то снизу с ревом выдвигается сплошная горная громада в шесть миль шириной — как будто она больше ни секунды не могла задерживать дыхание и просто вынуждена была вынырнуть на поверхность, чтобы глотнуть воздуха.

Мой друг Индиана постоянно толкует о процессах, которые протекают миллионы лет, — а теперь я их вижу, и они происходят в считаные секунды, как если бы нам удалось каким-то образом перехитрить эту взрывающуюся, сдвигающуюся, скользящую и исчезающую из вида Землю, на которой мы обосновались какую-то миллисекунду назад.

Нежные игры Жизни и Смерти. Путешествия с Пафф

Он рассказал мне, что существуют процессы, которым у геологов нет объяснения. Например, Скалистые горы (мы как раз летим над ними). Почему они появились — неизвестно. Под ними нет никаких движущихся тектонических плит — все эти скалы просто однажды решили взгромоздиться на десять-тринадцать тысяч футов вверх. По-видимому, это был просто их каприз, так что, если ты пролетаешь над этими местами на маленькой пушинке-амфибии, будь настороже: вдруг одна из скал — вроде той, что изображена на нашей фотографии, — решит вырасти на десять тысяч футов как раз тогда, когда ты летишь на пяти. Нам просто повезло, что мы шли достаточно высоко, когда эта громада выскочила из земли.

А послушайте еще вот это: ваша обычная бутылка столовой воды на самом деле содержит не воду. Одно из названий воды — гидроксильная кислота (честное слово!), и она является самым неумолимым разрушителем гор в мире. Посмотрите на предыдущей странице, что сделал с плоским, как стол, ландшафтом всего один стакан гидроксильной кислоты, умноженный на несколько сотен триллионов. Если у этого вещества есть сто миллионов лет, оно может растворить все что угодно!

Однако мы, смертные, любим играть с опасностью. Поэтому Пафф и Дженнифер направились в сторону самого большого скопления Опасности на северо-запад от Пекоса — к озеру Мид. Нам, видите ли, захотелось поплескаться в море гидроксильной кислоты!

Летя вдоль реки Колорадо, мы приближались к северному рукаву озера. Внезапно Дэн сказал:

— Ты — ведущий. Исследуй!

Я догадался, в чем дело: поскольку Дэн уже бывал здесь раньше, ему хочется увидеть озеро свежим взглядом, и, возможно, мы с Пафф найдем местечко, которое неизвестно ему. И мы действительно нашли такое через несколько минут. С воздуха это было похоже на тихую бухту — прозрачная вода и перечного цвета берег.

— Поднять шасси для посадки на воду, — сказал я.

Нежные игры Жизни и Смерти. Путешествия с Пафф

Одно из величайших жизненных преимуществ пилота легкого гидросамолета — это возможность останавливаться в таких местах:

Продолжив свой исследо-
вательский полет, мы нашли
еще вот такое местечко:

И такое:

190

Нежные игры Жизни и Смерти. Путешествия с Пафф

Проверить и перепроверить положение колес, включить вспомогательные насосы, опустить закрылки, рычаг газа на себя. Вода была гладкой, как стекло, что обычно составляет некоторую проблему для гидросамолетов, но здесь неподалеку был берег, который позволял визуально определять нашу высоту над поверхностью озера — поэтому я не особенно беспокоился. По ходу снижения я трижды проверил положение шасси, и на момент, когда я переключил внимание на озеро, мы уже ударились о воду. Ударились не сильно, но в любом случае отвлекаться во время посадки крайне непрофессионально. Это приводит к отскокам от поверхности воды — от одного до десятка.

Дэн не отвлекся и совершил одно из самых безупречных приводнений, какие я когда-либо видел.

В полдень пришли ветра, но дули они только в узких горловинах между секциями озера. Жутковато оказаться в нисходящем потоке скоростью 500 футов в минуту, когда ты находишься в сотне футов над водой. Подозреваю, что ветер решил напомнить нам, что он тоже играет немалую роль в эрозии скал.

Завтра вылетаем рано. Собираемся в Долину Смерти (*Death Valley*).

Помните, я говорил об одержимости Дэна геологией? Правда ли, что если у нас нет страсти к чему-нибудь (не важно, к чему) — если нет чего-то, что мы любим, к чему тянемся, во что погружаемся с головой, — то мы обречены жить скучной жизнью и довольствоваться лишь объедками со стола тех, у кого такая страсть есть?

Теперь я могу подтвердить, что это правда.

Исследуем большую воду

Глава 43

Исследуем большие пески

Вам знаком вкус морковного торта?

В отеле Боулдер-Сити, Невада, возле зала игровых автоматов есть один ресторан (забыл, как он называется, кажется, что-то «железнодорожное»), где на десерт подают шести- или восьмислойный торт размером с тыкву. Приблизительно семь восьмых этой тыквы вы потом заберете с собой в номер… но, встав в шесть часов утра, едва ли захотите начать свой день с этого блюда.

Именно так произошло у нас с Дэном. Мы не стали брать с собой торт в дорогу, ибо, посудите сами, красиво ли будет, если у самолета откажет двигатель посреди Долины Смерти и пятьдесят лет спустя тебя найдут с окаменевшим куском морковного торта в руке?

Зато мы взяли дополнительный запас воды на случай, если окажемся в «ситуации выживания», как говорят военные.

Мы поднялись в воздух, как только диспетчер дал разрешение на взлет.

Мне до сих пор странно видеть Пафф и Дженнифер — этих обитателей безлюдных земель — среди суеты современного аэропорта.

Мы улетели, как только смогли. Дэн вез в своей кабине пять галлонов бен-

зина: мы узнали, что в аэропорту Фёрнес-Крик в Долине Смерти, куда мы направляемся, топлива нет.

Воздух был теплым, но по мере набора высоты становился весьма прохладным — хотя окружающий ландшафт, казалось бы, не сулил свежего ветерка.

Я выступал в роли ведущего, когда в наушниках раздался голос Дэна:

— Это слишком прекрасно, чтобы такое упустить!

И Дженнифер начала спуск по спирали, стремительно теряя с таким трудом набранную высоту ради вот этого:

«Да уж, — подумалось мне, — к сегодняшнему вечеру у Дэна наберется несколько отличных снимков».

Долина Смерти находится приблизительно на 250 футов ниже уровня моря, и там происходят кое-какие странные вещи — прямо-таки сумасшедшие. Вот, например, сейчас тень от Пафф вырвалась на свободу и зажила своей жизнью. В принципе случается, что Пафф забывает взять с собой тень в полет, либо же сама тень находится где-то в самоволке, когда мы отправляемся в путь… но в этот раз я впервые увидел, как тень вдруг оставила нас далеко позади и помчалась в Фёрнес-Крик.

— Пафф! Твоя тень! Знаешь ли ты, чем она сейчас занимается? — спросил я.

— *Знаю. И ничего не могу поделать. Ты за своей следи.*

А Дэн и не заметил. Он изучал геологию в аудитории, не имеющей аналогов в целом мире. Вот у вас в институте такая была?

Дэн рассказывал мне об уникальных свойствах этих мест по радио, совершенно не беспокоясь о том, что у нас не будет ни малейших шансов на выживание, если этот иссушенный кремниевый мир вынудит нас припасть к его поверхности. Геологи не интересуются вопросами безопасности. Эти скалы не усыпаны песком… неужели ты не можешь забыть о выживании и просто вглядеться… они не усыпаны песком, они поднимаются сквозь песок!

Приблизительно в этот момент — как раз когда мы были в центре сухой долины, которая лишена жизни, зато изобилует причудливыми скалами и песком, — отказал мой так называемый «Помощник-Навигатор». Вместо красивой движущейся карты, на которой изображен обозначающий мое положение маленький самолетик, передо мной был только пустой экран. Скорчив недовольную гримасу, я подумал, что он, должно быть, лишился своего драгоценного Электричества из-за того, что перегорел какой-нибудь проводок, поставлявший столь важные для его деятельности электроны.

Нежные игры Жизни и Смерти. Путешествия с Пафф

Согласно моей бумажной карте, где отмечены заправочные пункты, Фёрнес-Крик должен быть приблизительно... там. Пока что он еще за горизонтом, но должен находиться где-то позади вон той безжизненной скалистой гряды. Я надеюсь.

А Дэну хоть бы что. В такой момент любой здравомыслящий человек должен переживать, что он заблудится посреди Долины Смерти, в жаркий

полдень, среди всех этих... — всех этих великолепных скал?! изумительных возможностей для исследования?! Обрати внимание, Ричард, как здесь закручены осадочные слои — их толкает горный массив Сьерра-Невада, расположенный в пятидесяти милях отсюда!

Мы как будто отыгрывали киносценарий о разных приоритетах. Дэн видел перед собой прежде всего одно из интереснейших геологических образований на Земле. Этот ландшафт был для него увлекательной книгой. А моим приоритетом было... выживание.

У меня есть потрепанная бумажная карта, но поскольку она отображает все Западное побережье Соединенных Штатов, на ней нет дета-

лей, позволяющих определить наше местоположение посреди этой пустыни, которая становится с каждой минутой все горячее. Однако, может быть, вам интересно, где находится Лос-Анджелес? Или Сан-Франциско — «город у залива»?

И я спросил себя, что делают два гидросамолета — гидросамолета! — посреди вот этого пейзажа?

Мне хотелось включить микрофон и поделиться с Дэном своими бредовыми фантазиями — неистово пляшущими в сознании миражами: «Эгей, Дэн! Видишь, пальма зеленеет? Видишь, озеро под нею? Так помчимся же скорее! К воде… к чистой прохладной воде…»

Но я не стал этого делать. Я свернул карту и устремил вперед суровый взгляд. Север вон там, так что Фёрнес-Крик должен быть…

— Пафф, как ты думаешь, почему его назвали Фёрнес-Крик, а не Кул-Клиар-Уотер-Крик?*

За последнее время благодаря всем нашим приключениям моя амфибия стала намного быстрее и проворнее, приобрела драгоценный опыт — но утонченностью и остроумием пока еще не блещет:

— *Потому что там жарко, как в топке?*

---

* *Furnace Creek* можно перевести как «Бухта-Топка», а *Cool Clear Water Creek* — как «бухта чистой прохладной воды». — *Прим. перев.*

Через полчаса далеко впереди показалось маленькое зеленое пятнышко. Зелень!

Я убрал карту с глаз долой. К счастью, ведущий не транслирует мысли своему ведомому — тот слышит лишь слова, произнесенные при нажатой кнопке микрофона.

— *SeaRey*, — позвал я. — Приземляемся на полосу один-пять. Переходим на частоту два-два-девять.

— Второй, — отозвался Дэн.

К этому моменту вы должны бы были уже освоить воздушный жаргон. Полоса один-пять — это взлетно-посадочная полоса, которая сориентирована по отношению к магнитному меридиану под углом в 150 градусов, иными словами, на юго-запад. С этого направления дул ветер, а значит, именно туда мы хотим зайти на посадку, потому что всегда приземляемся против ветра или максимально близко к этому направлению. Два-два-девять — это частота, которую использует аэропорт Фёрнес-Крик 122,9 миллионов циклов (ладно-ладно: 122,9 мегагерц, если уж мы обязаны таким нелепым способом отдавать дань уважения господину Герцу).

Исследуем большие пески

А Дэн ответил: «Второй», — давая мне понять, что второй самолет (а именно он с Дженнифер) в нашей группе (которую также можно назвать «пара», или «строй из двух самолетов») понял, что мы намереваемся делать. Теперь ему не нужно говорить «Роджер», что в данном контексте означало бы приблизительно то же самое. Конечно, он мог бы сказать «Роджер», но с формальной точки зрения в текущей ситуации это не было бы столь же корректно, как «Второй».

Переключившись на новую частоту, я включил микрофон и сказал:

— Веду.

— Второй, — отозвался Дэн, подтверждая, что он тоже, как и требовалось, переключился на новую частоту и мы по-прежнему остаемся на одном и том же радиоканале.

После чего я проговорил в эфир для всех самолетов в воздушном пространстве аэропорта Фёрнес-Крик (посреди одной из самых оживленных пустынь в мире — ха-ха-ха!).

— Фёрнес-Крик, говорит *SeaRey* три-четыре-шесть папа-эхо. Группа из двух *SeaRey* в двух милях на юго-восток подходит к третьему развороту левого круга, полоса один-пять Фёрнес-Крик.

Я произнес «Фёрнес-Крик» дважды не случайно, ибо может случиться, что через долю секунды после того, как я начал свое сообщение, на эту же частоту вышел другой пилот, и теперь он не знает, в каком аэропорту я собираюсь приземляться и следует ли ему учитывать наши маневры.

Между тем вероятность того, что такое могло бы произойти сегодня, мягко говоря, невелика.

Выпустить шасси для посадки на землю, закрылки вниз, вспомогательный насос включить… знакомый перечень операций. Я открыл фонарь, чтобы поймать последние порывы прохладного высотного воздуха, переключил мотор на холостой ход и пошел к земле.

В этот миг я краем глаза заметил какую-то темную тень и — БАМ! — что-то ударилось об аэроплан!

Я не имел ни малейшего представления, что это могло быть и насколько серьезные повреждения оно вызвало. Я проверил, действительно ли опущены шасси и не отлетело ли одно из колес. Состояние двигателя не имеет значения: мы пока еще достаточно высоко, чтобы успешно зайти на посадку, поэтому пока нет нужды беспокоиться, что это за «БАМ!», — сейчас важно только предстоящее приземление.

От Пафф ни вскрика, ни слова.

198

Нежные игры Жизни и Смерти. Путешествия с Пафф

Если бы это был фильм «Лучший стрелок», то согласно сценарию мне в этот момент нужно было бы включить микрофон и воззвать о помощи — самое бесполезное действие, какое только может совершить пилот… но сценаристам авиационных фильмов этот ход нравится. К счастью, я не снимаюсь в «Лучшем стрелке», а приземляюсь в Фёрнес-Крик и впереди подо мной широкая чистая взлетно-посадочная полоса. Просто лети, планируй вниз, тихонечко, тихонечко коснись вначале хвостовым шасси… а теперь вот уже и боковые шины зашуршали по бетону, и Пафф покатилась прямо по разделительной линии. Что бы там о нас ни ударилось, оно не повредило шасси.

Мы отрулили на стоянку и заглушили двигатели. Выйдя из кабины, я осмотрел Пафф, ища следы столкновения. Ни вмятинки. Ни царапинки.

Что за наваждение? Вот ведь загадка… Не переставая ошеломленно думать об этом, я полез в мешок с припасами за печеньем.

Что-то изменилось у меня в кабине. Поначалу я отмахнулся от этой мысли… Что могло измениться в кабине, где я провел последние две недели?

Черный комбинезон! Вот что изменилось. Исчез мой зимний комбинезон.

Он лежал в багажном отсеке за правым сиденьем, а теперь его нет.

Когда я открыл люк, чтобы глотнуть прохладного воздуха перед заходом на посадку… комбинезон не упустил свой шанс. Он ухватился за порыв ветра, ворвавшегося в кабину, и сбежал туда, где новая жизнь — вожделенная жизнь без холодов! Именно это и была та темная тень, которую я заметил краем глаза. А звук — «БАМ!» — это пропеллер ударил в рукав или штанину, когда моя уютная теплая одежка выскользнула из аэроплана.

Дэн неподалеку переливал свои две канистры бензина в топливный бак Дженнифер.

Я подошел к нему, недоуменно покачивая головой:

— Дэн, ты не поверишь, что произошло!

— И что же? — мой верный ведомый и личный преподаватель геологии был готов к любым новостям. Если Ричард жив и Пафф невредима, ничего серьезного быть не может. «Возможно, он хочет рассказать мне о выходе метаморфической породы, — подумал Дэн, — который я не заметил… или о ландшафтной аномалии, занесенной песком?»

— Мой теплый комбинезон! Порыв ветра ворвался в кабину, когда я заходил на посадку… и вынес его из аэроплана!

— Он ничего не повредил?.. Пафф цела?

Закончив заправку, он подошел к моей машине.

— Вроде в порядке, — сказал я.

— Похоже… — протянул Дэн и через секунду добавил: — Посмотри-ка сюда. Кончик пропеллера.

На кончике одной из лопастей была царапина с четверть дюйма шириной. И к ней прицепилась единственная черная нитка:

Если какой-нибудь дед, прогуливаясь с внучкой, наблюдал за нами с земли, он мог бы сказать:

— Смотри-ка, Шарлотта, какой славный самолетик пошел на снижение. У нас ведь редко кто приземляется, верно? Интересно, откуда они летят, и куда… *Пилот выпал! Не смотри детка!* Ах, бедняжка, прямо в кактусы свалился! А самолетик-то у него крутой — приземляется на автопилоте!

Внешняя видимость вещей… порой она бывает очень странной и всегда вводит нас в заблуждение. Никогда не принимай внешнюю видимость за реальность, дорогой наблюдатель.

Между прочим, если вам нужен дармовой зимний комбинезон, он ждет вас — только одной ниточки не хватает — где-то в районе подлета к полосе один-пять аэропорта Фёрнес-Крик, что в Долине Смерти, Калифорния, США.

Я подумал, что как-нибудь перебьюсь, если случатся холода, и решил оставить теплый костюмчик вам — заберите его, когда в следующий раз будете в Долине Смерти. А мы с Дэном двинулись вперед, на северо-запад, в Бишоп, до которого час с небольшим лету.

По пути мы пересекли две довольно высокие горные гряды, поэтому нам пришлось немало потрудиться, чтобы набрать высоту, время от времени используя восходящие потоки. Тогда-то мне и пригодились все мои навыки управления планером. Но выяснилось, что трудности ощутил только я — Дэн от всей души наслаждался геологическими образованиями.

— Видишь вон там дюну на девять часов? Рядом проходит дорога. Если бы ты захотел приземлиться…

— Я тут изо всех сил работаю над тем, чтобы высоту набрать, и не намерен вот так сейчас все бросить, чтобы приземлиться на какую-то там дорогу.

— Роджер.

В это слово он вложил: «Ага, так полет — это теперь работа, да, Ричард? И ты вот так легко упустишь возможность посмотреть на *песчаную дюну!* просто ради того, чтобы набрать еще чуть-чуть высоты для пересечения какого-то там хребта, который мы все равно так или иначе пересечем? Жалкая ты душонка!»

Но я уже слишком взрослый для таких игр: если ветер дует с юго-востока, значит, с юго-восточной стороны хребта у нас восходящие потоки, а с северо-западной — нисходящие. О том, чтобы перелететь этот хребет с северо-запада, и думать забудь. А вот с юго-востока… работай с этим восходящим потоком, р-р-работай… Скользи к юго-восточной стороне хребта — вот сюда.

После того как мы перевалили через хребет, милях в десяти впереди показался большой зеленый прямоугольник — тенистые деревья Бишопа, Калифорния.

Я аккуратно выбирал дорогу между группками меньших вершин внизу, готовый к тому, что в случае малейшей неосторожности меня может в любой момент захватить нисходящий поток. Выпасть из восходящего потока или попасть в нисходящий, когда летишь над горами… такое никого не обрадует.

А вот когда я добрался почти до самого аэропорта — иными словами, до места, где я смогу приземлиться даже в том случае, если перед этим у меня отвалятся колеса или заглохнет мотор, — я намеренно пошел туда, где ожидал найти северо-западные нисходящие потоки, спускающиеся с горной гряды за моей спиной. Я просто хотел проверить свои знания — выяснить, прав ли я.

Подкачали мои знания: не было никаких нисходящих потоков к северу от гряды. Ни нисходящих, ни восходящих — никаких.

Все эти тревоги, что меня увлечет вниз, — все зря. Мне подумалось: не слишком ли я вообще осторожен в своей жизни? Не слишком ли остерегаюсь нисходящих потоков, которыми на самом деле и не пахнет? Не слишком ли осмотрительно делаю каждый свой выбор в полете?

Любопытно, до чего метко работают метафоры, связанные с тем призванием, которое мы выбрали, — насколько острые вопросы о собственном образе жизни они нас порой побуждают задавать.

Не слишком ли я осторожен — в самом-то деле? Хотелось ли бы мне измениться, если бы я мог?

Но я ведь могу измениться! Нужно подумать об этом. Возможно, мне нужен мотоцикл.

Едва написав эти слова, я вышел из номера в вестибюль гостиницы и увидел у стойки администратора двух мужчин в кожаных мотоциклетных одеждах. Они хотят переночевать здесь.

Забавно, если окажется, что они катят через всю страну на своих *Harley*, в точности как мы с Дэном летим на своих *SeaRey*.

Я попросил разрешения сфотографировать их, а когда ребята разошлись по номерам, вышел на улицу и взглянул на мотоцикл лидера. На заднем крыле было вот такое изображение:

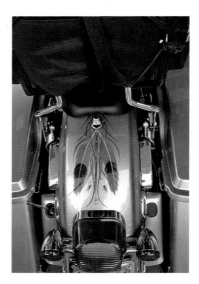

Кто-нибудь объяснит мне, что происходит на протяжении всего этого путешествия?

Глава 44

Взлет — и свобода

Каждый день нашего с Дэном трансконтинентального перелета начинается так: два *SeaRey* припаркованы бок о бок. Ведущий смотрит на ведомого. Ведомый кивает: «Я готов». Ведущий кивает: «О´кей» — и заводит мотор. В тот же миг ведомый тоже запускает свой двигатель. Над взлетной полосой раздается тихое урчание наших пропеллеров: день начался.

Почти никогда у нас нет четко определенного пункта назначения, заранее намеченного курса и высоты или распорядка, определяющего, кто сегодня ведущий — Дэн или Ричард. Мы лишь договариваемся об общем направлении полета, и еще у нас есть согласие в отношении того, что время от времени мы останавливаемся в каких-нибудь живописных местах для отдыха, а также на аэродромах — для заправки.

Сегодняшнюю программу мы оговорили вчера: наше воздушное сафари «Мечта геолога», являющееся заодно непринужденной трансконтинентальной прогулкой, должно непременно включать в себя посещение озера Моно — средоточия природных чудес вроде туфа, и лавы, и креветок вида *Artemia*. А после этого мы полетим куда угодно — лишь бы на север.

Ведущим на этот раз был Дэн, что определяется посредством фотокамеры: я выступаю ведущим тогда, когда Пафф настроена позировать — при этом Дэн на своей Дженнифер свободен маневрировать так, как ему удобно, выбирая удачный ракурс. Но по дороге к Моно никаких фотографий не будет, потому что озеро расположено среди гор и нам предстоит трудный набор высоты. Так что ведущим будет Дэн.

Нежные игры Жизни и Смерти. Путешествия с Пафф

С набором высоты небо становилось все темнее, и Пафф не упустила шанс установить свой новый рекорд — более десяти тысяч футов:

Она поместит этот снимок на стене своего ангара рядом с фотоотчетом о другом рекорде — 100 футов ниже уровня моря во время вчерашней прогулки в Долину Смерти:

Разница в скорости объясняется изменением плотности воздуха... вам расскажут об этих тонкостях, когда будете учиться на пилота малой авиации.

Оставаясь на высоте, Пафф наблюдала, как Дэн и Дженнифер резвятся между туфовых столбов, благодаря которым озеро Моно знаменито на весь мир (хотя лично я об этом слышу впервые).

Дэн попал в геологический рай... Где еще можно исследовать камни при помощи аэроплана? Я как-то раз высказал наивное предположение, что, должно быть, сейчас у него есть тысяча снимков горных пород, где иногда в кадр случайно попадает и Пафф. Дэн посмотрел на меня с жалостью: «Тысяча?» Я не хотел подтверждать свою некомпетентность, спрашивая, сколько же их на самом деле, поэтому просто предположил, что он уже сделал тысяч пятьдесят снимков, которые смогли бы послужить материалом для книги «Занимательная геология от Дженнифер. Учебное пособие для самых маленьких гидропланов». Возможно, название могло бы быть и другое, но фотографии у Дэна в любом случае получились сногсшибательные.

Естественно, он просто не мог не дотронуться до поверхности этого удивительного озера — просто прикоснуться и лететь дальше. Если бы на такой высоте над уровнем моря Дэн совершил полноценную посадку, вполне возможно, что Дженнифер не смогла бы снова оторваться от воды до тех пор, пока воздух не стал бы намного холоднее.

Между прочим, это натуральный цвет воды. Я просто выставил свой мобильник за окно и щелкнул камерой:

Затем Дэн пригласил нас спуститься чуть ниже, чтобы сделать несколько шикарных фотоснимков Пафф на фоне этой зачарованной страны — озера Моно.

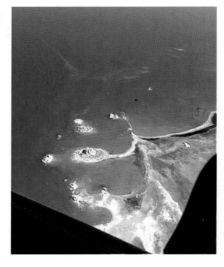

— *Только не дай мне коснуться... воды. Пожалуйста.*

Полет здесь вызывает странное чувство. Странное в смысле пугающее, зловещее, мертвящее. Дэн сказал, что в озере нет рыбы, зато есть миллионы креветок *Artemia*, являющихся отменным кормом для чаек. И из этого озера планировали брать воду для Лос-Анджелеса. Хм*.

Мы пролетели над вулканическим кратером — или как он там называется, — от которого аккуратными блоками откалывается застывшая лава. Мне пока еще не представился случай озадачить Дэна вопросом о том, каким образом земля ухитряется производить такие аккуратные камни, но полагаю, что эти лавовые блоки образовались в результате сильнейших землетрясений еще до появления человека на планете.

У меня никогда не было глубокого интереса к геологии, но в результате полета с этим человеком его страсть отчасти передалась и мне.

Раньше я всегда думал, что камень — он и есть камень, твердый, неподатливый — тук-тук. Но нет. Сделай видеоролик, отслеживающий его судьбу на протяжении миллионов лет, либо же загляни глубоко под земную кору — и ты увидишь камень жидкий, пластичный, извивающийся,

---

* Строго говоря, так оно и происходит. Только воду берут не из самого озера Моно, потому что оно соленое. Воду берут из одной из рек, его питающих, в результате чего уровень воды значительно упал. — *Прим. перев.*

206

Нежные игры Жизни и Смерти. Путешествия с Пафф

пузырящийся. Посмотри на него с высоты птичьего полета, и ты увидишь, как твердая почва идет волнами, словно вода, — результат столкновений тектонических плит, от которых в разные стороны расплескиваются брызги гор... Я жду книги Дженнифер с нетерпением.

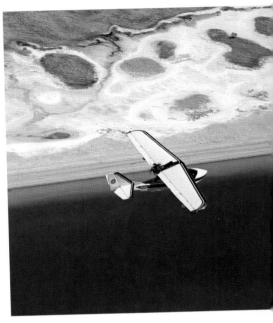

На момент, когда наша фотосессия подошла к концу, земля согрелась, и мы решили поиграть в планеризм в поисках восходящих потоков, чтобы выбраться из этой огромной суповой миски, на дне которой плещется озеро. На данной высоте и при данной температуре *SeaRey* может карабкаться на несколько сот футов в минуту... это ее рабочий потолок при отсутствии посторонней помощи. Но сегодня мы обнаружили, что при содействии столбов восходящего воздуха *'Rey* может подниматься более чем на тысячу футов в минуту. Столь же быстро она и теряет высоту, попадая в воздушные ямы. Некоторое время мы танцевали, перескакивая с одного воздушного столба на другой, пока не добрались до края возвышенности, за которой ландшафт резко понижался.

Но понижение было относительным. Приблизительно через час лёта через болтанку мы добрались до озера Уокер. Высота по плотности составляла около 6000 футов. Мы посовещались по внутренней частоте:

— Дэн, высота над уровнем моря четыре тысячи, но высота по плотности шесть. Ветра нет или слабый. Сможем ли мы снова взлететь, если сядем?

— Не знаю. Давай попробуем. Вначале сяду я и проверю, сможет ли взлететь Дженнифер.

— Если не сможет, мы тоже сядем и разобьем лагерь. А улетим завтра, когда воздух остынет. Как тебе идея?

— Вполне рабочий план.

— Тогда давай зайду на посадку я. Посмотрим, как Пафф ведет себя на высокогорьях Запада.

— Приступай.

И мы приступили.

— Пафф, — сказал я, — давай-ка поплещемся в озере.

Она была рада приключению и не сомневалась, что сможет снова взлететь. Отменное озеро.

Я был с ней солидарен. В озере Уокер не было ничего от зловещего вампирского духа Моно. Прозрачная бирюзовая вода разбрасывала разноцветные искорки.

— Поднять шасси для посадки на воду.

Я тысячу раз проверил, действительно ли подняты колеса, замедлил Пафф до 60 миль в час, опустил закрылки, включил вспомогательные насосы и зашел навстречу ветру. Через считаные секунды волны уже были в нескольких дюймах под нами, потом я ощутил легкую дрожь и шипение: киль коснулся воды. Пафф изящно прокатилась по волнам и безмятежно замерла в прохладной воде. Рядом с нами на предельно малой высоте промчалась Дженнифер.

— А теперь, Паффи, — мысленно произнес я, — давай посмотрим, сможешь ли ты снова взлететь.

— *Проще пареной репы.*

Я дал рычаг газа вперед, но Пафф несколько секунд не реагировала… словно бы озадаченно думала, почему это здесь такой разреженный воздух. Затем двинулась вперед, но поначалу только бороздила озерную гладь, вместо того чтобы подняться над ней.

Я резко дал рычаг управления вперед — как советовал делать Дэн при взлете в горных областях, и Пафф действительно стала легче и побежала скорее, разбрасывая брызги. Затем она как бы встрепенулась, отгоняя лень, и отнеслась к нашему замыслу серьезнее. Теперь уже амфибия не плыла по озеру, а скользила по его поверхности — и у меня не осталось ни малейших сомнений, что нам удастся взлететь. Это был долгий разбег, но наконец она прошуршала килем по гребешкам волн и поднялась в воздух.

— Молодчина, Пафф! — сказал я вслух. Думаю, что вслух… потому что, когда мы летаем с ней наедине, я уже сам не различаю, произношу ли слова на самом деле или только мысленно. Не различает этого и Пафф.

Она была довольна собой, тем более что ей в этот раз посчастливилось подать пример своей старшей сестре. И Дженнифер это заметила:

— *Отличная работа, Пафф!*

— Поднять шасси для посадки на воду, — произнес Дэн.

В то самое время, когда мы с Пафф взлетали и заходили на круг, Дженнифер как раз совершала посадку. Какое все-таки удовольствие — наблюдать с воздуха за приводнением его малышки, ´*Rey*.

Мы снова сели рядышком с Дженнифер. Она завернула к берегу, и мы пошли следом. Я отчетливо видел дно сквозь шестифутовую толщу воды. Там был песок и разбросанные на нем осколки песчаника (позже Дэн объяснил мне, что это никакой не песчаник, а чилийская селитра). Вода становилась все мельче и прозрачнее. Я заметил, что Дженнифер впереди остановилась и заглушила мотор футах в ста от берега.

Через секунду я почувствовал толчок, как будто Пафф задела дном песчаную отмель. Затем еще один. Мы были дальше от берега, чем Дженнифер, но, протянув еще совсем немножко по дну, Пафф объявила, что дальше не двинется.

— Спасибо, Маленькая Кэт, — сказал я и заглушил мотор, прежде чем она успела

возразить, что это не ее прозвище, а Дженнифер.

Стояла полная тишь — лишь плеск волн о борт. Отстегнув ремни безопасности и сняв с головы наушники, я заметил, что Дэн уже выбрался из кабины и бредет к берегу. Он двигался неровно, словно с каждым шагом ноги его вязли в иле.

Через минуту я убедился, что так оно и есть: я и сам через несколько шагов провалился в густую массу. Мне удалось извлечь оттуда ноги, но не мои водные галоши, которые намертво увязли в грязи. В конце концов я сумел нашарить их и вызволить, после чего коекак доковылял до берега.

И вот я стою там, глядя на бескрайнюю озерную гладь и наши два аэроплана.

Мы четверо — единственные живые существа на много миль вокруг.

Мы с Дэном посмотрели на окружающий пейзаж, друг на друга — и расхо-

210

Нежные игры Жизни и Смерти. Путешествия с Пафф

хотались. Такие приступы смеха случались с нами уже не впервые: «Неужели мы единственные безумцы во всем мире, оказавшиеся здесь, в этом Богом забытом месте, — и больше нет ни души на сто пятьдесят миль вокруг?»

Ответ утвердительный.

Кроме веселья было еще ощущение свободы. Мы ни у кого не спрашивали разрешения (и не нуждались в таком разрешении), чтобы делать в своей жизни то, что нам по-настоящему нравится, а на данный момент нам нравилось стоять на этом берегу, забытом всеми остальными людьми на свете. Ни отпечатков ног, ни следов шин, лишь мы, четверо друзей в солнечных лучах, и у наших ног плещется вода, словно фантастически быстрый прозрачный камень.

Мы смеялись, вдохновленные чувством свободы. Сколько труда и денег нам стоила наша страсть к этим маленьким аэропланам, сколько нам пришлось учиться и отрабатывать свои летные навыки… а теперь мы стоим, свободные, на пустынном берегу озера, и это мог бы быть любой водоем в любой точке мира, по нашему выбору.

К этому моменту я провел в маленькой кабине Пафф более сотни часов полета и мы совершили сотни приводнений. Порой нам бывало страшно, но чаще мы смеялись, паря в поднебесье, иногда наедине друг с другом, а иногда вместе с еще одной такой же парой существ, которые пожертвовали всеми другими возможностями ради того, чтобы сбылась именно эта. Ни тебе гольфа, ни боулинга, ни шумных трибун стадиона, ни субботней выпивки с приятелями за партией в покер. От всего отмахнулись. Чтобы стоять там, где стоим. Сейчас.

От этого почему-то становится очень весело, и ты безудержно хохочешь.

От озера Уокер всего полчаса лета до другого озера в Неваде. Но здесь уже есть люди — тут и там точечка на берегу. Плюс несколько лодок на воде, правда, когда мы причалили к берегу, их даже не было видно.

Мы решили провести остаток дня в Карсон-Сити и посадили свои самолеты в городском аэропорту, где местный пилот предложил подбросить нас до гостиницы. Мы это предложение приняли.

Сейчас два часа ночи. В комнате тишина — лишь я все еще смеюсь.

Глава 45

Всего лишь
сотня миль, но какая!

П рогноз не слишком утешительный: на северном отрезке нашего путешествия ветер до 25 узлов. Такие ветры, да еще и над пересеченной местностью, для нас не шутка. Но как гласит старая летная мудрость, никогда не отменяй полет из-за прогноза.

Наиболее разумный подход таков: взлететь, оценить обстановку и приземлиться, если дела плохи. Что мы и сделали: вскарабкались в небо над Карсон-Сити и полетели в сторону Рино, Невада. Дэн и Дженнифер были ведущими.

Когда-то я жил в Рино. Маленький уютный городок, но если вы любите яркие огни и ночную жизнь, это там тоже есть.

Мы были как два разведчика из иного времени, пересекающие высокотехнологичное авиапространство класса C над городом… и зачем вообще нужно радио в наши дни?

К 10 часам утра спокойный воздух уступил место интенсивным тепловым потокам, и нас начало немного болтать — погода словно увещевала нас переждать до полудня. Но подумаешь — тепловые потоки! Мы и в воздухе дождемся полудня, если нас не покинет удача.

Когда мы вышли за радары больших аэропортов, место ведущего заняли мы с Пафф, а это означало, что именно нам нужно оценивать запасы горючего, и расстояния до аэродромов, и ожидаемые погодные условия впереди, и какие у нас есть варианты, если путь нам преградят препятствия в виде гроз и сильных ветров… Должен признаться, что все имеющиеся варианты пришлись мне не по душе и захотелось повернуть в Сузанвилл.

— Может быть, в Сузанвилл? — обратился я к Дэну.

— Согласен, — видимо, он тоже уже оценил ситуацию.

Поскольку до Сузанвилла было всего шестьдесят миль, Пафф пожелала заглянуть по пути на озеро Пирамид. Этот сверкающий жидкий самоцвет посреди пустынной возвышенности — непреодолимый магнит для маленьких гидропланов.

— Хочешь приводниться? — спросил я у Дэна. Жидкая бирюза воды и скалистые берега.

— Я ведомый, — парировал он, переправляя ответственность обратно в мои руки.

— Поднять шасси для посадки на воду, — проговорил я.

После столь долгого перелета над пустыней, вода столь изысканно… влажная!

Легкий ветерок и озерная гладь — до чего же здорово разделять радость Пафф! Она плюхается на воду, вздымая облака брызг, которые солнечными бриллиантами осыпают все вокруг, включая меня самого. Я слизнул их с губ. Вкусно. Вода совершенно чистая — мы парим в ее прозрачной массе.

Затем снова в небо — и к отдаленному берегу, туда, где нам почудились острова. Но там оказалось нечто другое. Мы шли низко над ними, и вдруг Дэн сказал:

— Вода! Ты видел? Там вода!

Я удивился, почему мой безмолвный ведомый вдруг так оживился: здесь ведь везде вода.

— Девяносто — двести семьдесят, — сказал он. — Ты только посмотри!

Как смеет ведомый давать команды ведущему? И тут я понял: это никакой не ведомый. Это геолог! Дэн обнаружил на поверхности озера нечто примечательное с научной точки зрения.

Если повернуть на 90 градусов в одну сторону, а потом на 270 в другую, ты полетишь в направлении, противоположном изначальному, и вернешься точно в ту точку, откуда шел, — а значит, мы находимся прямо над чем-то очень интересным. Я выполнил инструкции Дэна и обнаружил под тем местом, где только что пролетал, похожую на перышко водную струю футов в тридцать высотой!

Дэн говорил «фонтан», а не «вода»!

Дженнифер уже успела приводниться, мы с Пафф стали снижаться следом. Шасси поднять для посадки на воду. Закрылки. Вспомогательные насосы. Что же он нашел?

Через считаные секунды Пафф скрипнула корпусом по песку и остановилась в прибрежной воде, прозрачной, как воздух.

Почему это место столь пустынно? Где отели? Где россыпи ярких пляжных зонтиков?

А потому, что на нашей планете еще осталось немало уголков, не освоенных цивилизацией.

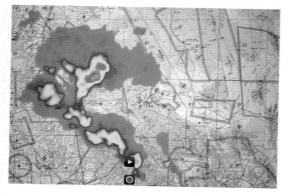

Мы пошли по траве в сторону фонтана, гудевшего, как локомотив перед отправкой со станции. Это не периодический гейзер, а постоянный — пожарный брандспойт, день и ночь с шипением и свистом выплевывающий вверх струю кипятка и пара.

Я отметил про себя, что он делает это не для зрителей. Тем не менее на ближайшие полчаса его публикой стали мы... никто не может ручаться, что гейзер будет продолжать свое представление и после нашего ухода. Я спросил у Дэна, можно ли пить гейзерную воду, которая опадает на островок, а затем ручейком стекает в озеро.

— В ней много растворенных солей.

— Но можно ли это пить?

— Если тебе нравится привкус серы.

Грозовой фронт надвигался, поэтому, сделав всего лишь пару сотен снимков, мы двинулись в путь. Мы приземлились в Сузанвилле. Привязать и зачехлить аэропланы — успели все до грозы.

«Как замечательно, — думал я, — что мир провел нас через все эти удивительные приключения, ни разу не причинив вреда — не явил нам Темную Сторону Силы».

«Но ты ведь и не веришь в темную сторону силы», — мысленно возразил мне кто-то. Я в этот момент как раз расплачивался за топливо в конторе аэропорта, находящегося весьма и весьма далеко от океана. Но, оглянувшись на входную дверь, я увидел над ней плакат:

На нас с Дэном смотрела не сама Бабушка Кэт, но *ее* собственная бабушка — самолет-амфибия *Douglas Dolphin*.

Какова была вероятность того, что над этой дверью ... ?

Закончить вопрос поручаю вам.

216

Нежные игры Жизни и Смерти. Путешествия с Пафф

Глава 46

Слово и дело

Слово и дело — не одно и то же. Иногда мы об этом забываем, и тогда нам требуется напоминание.

Полагаю, Пафф переняла одну из моих черт: мы оба с легкостью даем обещание, а когда приходит пора выполнять… Я назначаю встречу, обещаю с кем-то увидеться, а потом начинаю ныть: «Ну и зачем я согласился? Мне так хочется побыть в одиночестве!»

Пафф в отличие от меня хотя бы не ноет. Но сегодня и она не сдержалась: пять часов перелета над пересеченной местностью, где в случае чего и сесть-то негде, — дело нешуточное.

Пафф очень способная. У меня есть все основания хвастаться, что она может приземлиться почти везде — это аэроплан типа *СКВП* (самолет короткого взлета и посадки). Как на суше, так и на воде Пафф маневренна, словно вертолет, вот только у нее над головой не вращается эта тяжеленная конструкция из пружин, поршней и что у них там еще.

Во время перелета через страну ее пилотом постоянно был я, а поэтому именно мне надлежало думать о том, где мы приземлимся, если сейчас заглохнет мотор. И почти всегда на этот вопрос был ответ: вон там река, там озеро, там дорога, там песчаная отмель, там ровный участок пустыни — ей ведь требуется всего пара сотен футов.

А сегодня мы не смогли бы приземлиться даже на вертолете: много часов подряд под нами был лишь лес. Любой сбой в работе мотора закончится падением вниз, в чащу, и нет никакой гарантии, что ты после такого приземления выживешь — независимо от того, насколько хорош твой вертолет или самолет и сколь искусен ты в пилотировании.

Дэн с Дженнифер оказались в еще худшем положении, потому что ведущим сегодня целый день был я. Им приходилось лететь там, где решал я — и куда направил свою Пафф. Я выбрал маршрут над дремучим лесом, а поэтому если бы у Дженнифер возникли неполадки и Дэн рухнул вниз, мы с Пафф могли бы лишь беспомощно кружить над ними, наблюдая, как они исчезают в зеленом хвойном океане.

Я мог бы проложить маршрут над дорогами, но не сделал этого.

Мы поднялись с аэродрома в Сузанвилле в ноль семь тридцать, как принято говорить в армии, что звучит более четко и определенно, чем «полвосьмого утра».

Чаща началась сразу же, ибо Сузанвилл стоит точно на границе между пустыней и лесом. Лес очень серьезный, я бы даже сказал суровый:

Все эти полянки, которые виднеются тут и там, слишком круты и сплошь покрыты пнями и отходами лесозаготовки — идеальный плацдарм для военных учений с противотанковыми заграждениями.

Если за дни своей жизни я усвоил хотя бы один урок, вот он: *Свобода — это нежная игра жизни и смерти.*

Приземляться негде.

«Свобода нам не дана, — подумалось мне, — мы сами берем ее, когда хотим. Выбирая свободу и сладкие плоды успеха, которые она сулит, мы заодно получаем и обратную сторону свободы: вероятность живописного крушения».

Минута за минутой, час за часом мотор Пафф делает по пять тысяч оборотов в минуту, триста тысяч оборотов в час, полтора миллиона оборотов лишь за сегодняшний день — и так вот уже шестнадцать дней подряд, если не считать стоянки в Плейнвью.

Я каждое утро прокручиваю пропеллер рукой. Поворот на три лопасти соответствует полутора оборотам двигателя. Я проворачиваю на двенадцать лопастей — шесть оборотов — и чувствую, что для этого требуется энергия.

Конечно, в моторе Пафф достаточно огня, чтобы вертеть пропеллер, — но при этом ей приходится делать очень и очень много оборотов, и от их непрерывности напрямую зависит жизнь самолета и человека.

Эта маленькая амфибия рождена для свободы. Когда Пафф привязана к земле, она не свободна и даже не жива. Я почувствовал, как она улыбнулась:

— *А сам-то ты жив?*

Два часа полета над лесом носами на запад — и вот уже Сьерра-Невада неохотно отпускает нас, постепенно перетекая назад, за горизонт. В какой-то момент мы поднялись на высоту 8000 футов, чтобы перевалить через хребет (правда, я предпочел бы лететь в этом месте по меньшей мере на 10 000). Затем, близ Реддинга, Калифорния, ландшафт по-шел резко вниз, а мы, соответственно, оказались очень высоко над поверхностью. Вздох облегчения: мало того что самые опасные горы остались позади, так впереди еще и вода показалась! К северу от Реддинга есть водохранилище, которое с годами наполняется все больше и больше… В последний раз, когда я пролетал над ним, от

поверхности воды до кромки дамбы было футов пятьдесят, теперь же чаша наполнена до краев.

— Поднять шасси для посадки на воду, — произнес я.

— Второй.

Пафф и Дженнифер пошли вниз по широкой плавной дуге и сели на обширную водную гладь, окруженную поросшими сосной крутыми берегами. Задорные катера, мы приблизительно милю мчались по озеру на половине мощности, оставляя позади себя красивую пенную роспись.

Водная Душа Пафф получила свой освежающий бальзам, и теперь ее воздушная душа снова готова к полету. Легким движением кисти даем рычаги газа на несколько дюймов вперед, и вот уже два гидроплана оторвались от воды и двинулись прочь от планеты. Набрали высоту и легли на курс — в ледяную тень пика Шаста.

Еще утром я планировал поприветствовать эту гору, облетев ее по кругу, но чем ближе мы подлетали, тем больше я убеждался, что приветствия сегодня не будет, потому что потолок высоты наших аэропланов намного ниже ее вершины. Шаста лишь на несколько футов не доросла до звания самой высокой горы в стране. Облет вокруг Шасты на высоте в 8000 футов означал бы для нас лишних пятьдесят миль пути.

Нежные игры Жизни и Смерти. Путешествия с Пафф

Итак, мы пролетели мимо, крошечные мотыльки, исполненные благоговения… Перед лицом безмолвного заснеженного пика Шасты поневоле переходишь на шепот.

Когда-то я жил в одной деревне южнее Медфорда, Орегон, и теперь полет мимо горы побудил во мне воспоминания… Потом картинки из прошлого растаяли, уступив место расстелившемуся перед нами ландшафту — снова нескончаемые леса.

Пафф урчала двигателем без единого сбоя. Впрочем, сбоев у нее не случалось ни разу с момента нашей первой встречи.

«До чего же ты славная, — подумал я, — до чего же мы с тобой близки по духу. Без тебя не могла бы состояться ни одна секунда этого дивного путешествия, этой потрясающей череды открытий!»

Я почувствовал пушистое прикосновение ее души:

— *Как и без тебя.*

Никогда не забуду этот миг.

Это последний на нашем пути лесистый ландшафт от горизонта до горизонта. Рельеф здесь более мягкий и сглаженный, как будто геологические ветры утихли, и земля под нами понемногу становится все спокойнее и приветливее. Приближаемся к Бэндону, штат Орегон.

Если раньше кромка горизонта была рваной и зубчатой, то теперь там прямая линия. Голубая.

Со мной такое прежде уже бывало, но мне было любопытно, что почувствует сейчас Пафф. Всю свою жизнь она попадала к океану лишь в результате полета на восток. А сегодня он явился ей на западе. Через несколько минут она завершит первый в своей жизни перелет от побережья к побережью.

Я ощутил в ней тихую радость. Конечно, мою амфибию позабавило, что море поджидало ее с другой стороны, но все же намного больше в ней было радостного облегчения от того, что она сумела сдержать слово… ведь Пафф обещала перенести нас через континент целыми и невредимыми — и сделала это.

Я взялся за рычаги и стал заходить на разворот для посадки.

— *Погоди.*

Я прекратил маневр, хоть она и не объяснила зачем. Пафф смотрела на запад:

Наполовину суша, наполовину море — это и есть Пафф. В тебе присутствует понемногу того и другого, как и во мне. Мы выбрали очень просторную игровую площадку для своих уроков и приключений в смертных телах — для нашей нежной игры жизни и смерти.

Глава 47

Вдоль берега

П‌обережье штата Орегон отлично спасает, когда ты смертельно
устал от необходимости постоянно корректировать курс. Если
тебе нужно на юг, просто удерживай синюю половину мира
справа.

Но сегодняшним утром передо мной стоит совсем другая задача:
мне нужно на север. Я планирую удерживать синюю половину слева —
и посмотрим, что из этого получится.

(Прошло несколько часов.)

У меня было странное чувство утром, когда я писал «планирую…» —
мне снова вспомнились строки о хитроумных планах мышей, которые,
как известно, «пошли прахом».

Утро не принесло никаких проблем, кроме встречного ветра в
25 узлов с порывами до 33, и по прогнозу он должен усилиться, когда
днем пригреет солнце. Таким образом, наша скорость в отношении
земли составит около 30 миль в час. Дэн называет это «благоприятству-
ющий встречный ветер», потому что он обеспечивает намного больше
радостного времени в полете, чем попутные ветры.

Мы прибыли в аэропорт и занялись предполетным осмотром. Но
прежде, чем я дошел до хвостовой части самолета по своему контроль-
ному списку, Дэн сказал:

— Кажется, у тебя заднее колесо спустило.

И правда: покрышка сплющилась, обод почти лежал на земле.
Тогда-то в моей памяти и промелькнуло предостережение по поводу
судьбы всех людских планов.

Залатать покрышку в Бэндоне было негде. Однако мы нашли в местной скобяной лавке колесо для газонокосилки, которое идеально встало

на место заднего шасси Пафф. На момент, когда я завершил работу, был уже почти полдень, и ветер порядком усилился… Еще до того, как я запустил двигатель, индикатор скорости Пафф показывал до 29 миль в час.

Когда я его все-таки запустил, она сразу же ясно дала понять, что колесо от газонокосилки ее не радует.

— Это аварийная ситуация, Пафф! Обещаю, на следующей же стоянке я починю твою покрышку… Это колесо только на один перелет!

— *Я чувствую себя глупо.*

— Обещаю… в следующем же аэропорту.

Мои обещания уже имеют в ее глазах кое-какой вес. Я не упоминал об этом, но во время прошлого перелета у Пафф снизился уровень масла, и я обещал долить его в ближайшем аэропорту. Когда я проверил уровень масла сегодня, он оказался низким, но в пределах нормы для дальнейшего полета. Доливать масло в мотор при ветре в 20 миль в час, балансируя при этом верхом на хвостовой части фюзеляжа, — дело не из приятных, но я уже дал обещание. Немного расплескалось под порывами ветра, и мне потом пришлось подтирать. Но ведь и в мотор кое-что попало.

При запуске двигателя Пафф сразу заметила свежее масло. Поэтому, стоило мне сказать, что я заменю шину, она перестала жаловаться, поверив, что я свое слово сдержу.

Я занял место ведущего. Предварительно мы договорились, что, если наша скорость относительно земли сойдет на нет, я изменю курс — уйду вглубь материка, где по прогнозам ожидается менее сильный ветер.

«Синяя половина слева, синяя половина слева», — повторял я про себя, когда будил Пафф. Ей было приятно просыпаться под такие слова. Полагаю, перед этим ей снился ее личный ангар и исследование новых окрестностей.

Дженнифер и Пафф стали осторожно выруливать, опасаясь, как бы их не перевернуло поперечными порывами, и через какую-то минуту уже стояли в начале взлетно-посадочной полосы носом к ветру, готовые к взлету. Дэн кивнул: «Я готов».

Нежные игры Жизни и Смерти. Путешествия с Пафф

Я дал *РУД* вперед, и пять секунд спустя Пафф уже летела, кренясь и вздрагивая в ухабистом воздухе. Мы направились к пляжу и полетели в считаных футах над его песчаной взлетно-посадочной полосой длиной в несколько сотен миль.

Ветер торопился на юг и явно хотел прихватить с собой море. Вот оно Западное побережье — высокие волны в четыре-пять рядов, стре-

мительно накатывающиеся на широкий песчаный пляж. Вдоль самой полосы прибоя, где песок темный, можно вполне безопасно приземлиться… влага связывает песчинки, делая поверхность твердой.

Наша скорость относительно земли составляла до 50 миль в час и при порывах падала до 45. Если бы не ветер, этот пустынный пляж, столь удобный для приземления, представлял бы собой идеальную магистраль для полета на север. Но ветер не давал нам продохнуть: колотил по корпусу и трепал за крылья, то и дело заставляя закладывать виражи то влево, то вправо — чаще пологие, но порой и крутые. «Это не годится, — решил я наконец и поддал газу. — Ни-ку-да не годится!»

Мы взмыли повыше, оседлали упругие восходящие потоки, поднялись на высоту 4000 футов и повернули вглубь материка, где ветер потише. Внизу снова показались горы, но ненадолго, очень скоро они растаяли и растеклись в долину реки Уилламет — эту широкую равнину цвета теплой травы, простирающуюся за горизонт.

Пафф ни словом не обмолвилась о своем дурацком заднем колесе, когда мы подруливали к заправочной колонке аэропорта, а потом ехали на стоянку, где я привязал ее рядышком с Дженнифер. Ей не нужно ничего мне напоминать, ибо Пафф и моя совесть живут в смежных комнатах.

Час работы в большом ангаре в Кораллвиллсе, и ее родное хвостовое колесико опять стоит на месте, как новенькое, а колесо от газонокосилки — с глаз долой.

Вы можете спросить, как я меняю колесо без домкрата. Хороший вопрос. Секрет простой: у кого есть Дэн, тому домкрат не нужен. Дэн

сказал, что с удовольствием приподнимет 160 фунтовый вес и удержит его над землей, пока я быстренько сменю колесо. И я не сомневаюсь: если мне когда-нибудь снова потребуется приподнять аэроплан, под рукой всегда окажется какой-нибудь геолог.

В этот день мы летали мало, зато много занимались решением технических проблем — а это далеко не так волнующе и интересно, как полет. Регистрируясь в гостинице, я был готов к тому, что этим вечером буду чувствовать себя усталым. Вдобавок мы с Дэном проголодались, и поэтому отправились в один из ресторанов Кораллвиллса, чтобы перекусить — впервые за целый день.

Вот что мы увидели на стене, когда вошли:

Я ошеломленно застыл прямо у порога. Сколько знаков мне нужно — сколько перышек на протяжении единственного полета, — чтобы окончательно убедиться: кто-то присматривает за нами в этом путешествии?

— Не скажете ли, что означает вон то перо? — спросил я у официантки.

— Вообще-то предполагалось, что это пальмовый лист, — сказала она, бросив взгляд на стену.

И вот я спрашиваю вас: если бы вы увидели этот объект на стене ресторана, пришло бы вам в голову поинтересоваться: «Не скажете ли, что означает этот пальмовый лист?»

Мне бы не пришло. Мне хочется знать: почему перышки следуют за мной через всю страну?

«Приятный намек, но неоднозначный, — подумал я некоторое время спустя. — Ведь дизайнер пытался изобразить отнюдь не перо. Те, кто оставляет нам знаки, должны быть более прямолинейны, когда обращаются к смертным, иначе мы можем и не заметить, что за нами приглядывают».

Я направился в свой номер, разложил вещи и небрежно бросил на ночной столик карточку-ключ. И тут я заметил, что она на треть выглядывает из своего конверта, показывая мне два слова*:

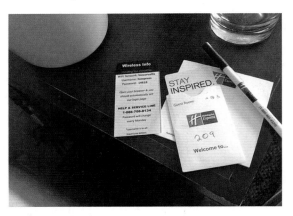

(Честно: на этой фотографии карточки лежат в точности так, как я бросил их на ночной столик.)

Прошедший день пронесся перед моим мысленным взором.

— Не сами вещи важны, Ричард, а тот смысл, который мы в них вкладываем.

— Спасибо, Бабушка.

---

* «Сохраняй вдохновение». — *Прим. перев.*

228   Нежные игры Жизни и Смерти. Путешествия с Пафф

Глава 48

Ремонт
или полет?

режде чем взлететь с места стоянки, пилот более или менее внимательно осматривает свою машину. Это называется предполетный осмотр, или коротко — просто «осмотр». Такие неполадки,
как «У тебя спустило колесо», нужно устранять немедленно, до вылета.

У каждого самолета есть свой список... нет, это не слабые места,
но те узлы, которым пилот должен уделить особое внимание. Если ты
летаешь на большом транспортном реактивном самолете, тебе нужно
проверить, не забыл ли кто ящик инструментов в отверстии воздухо-
заборника. Если же ты водишь маленький аэроплан, то, прежде чем
выруливать на взлетную полосу, необходимо убедиться, что ты отсо-
единил крепежные стропы.

SeaRey принадлежит к категории «экспериментальная любительская
авиация». И у этого самолета тоже есть список вещей, которые пилоту
следует проверить перед взлетом. Когда я заметил, что, в отличие от
большинства летчиков, Дэн выполняет эту процедуру очень внимательно и неторопливо, я поинтересовался, почему он так поступает.

Услышав его ответ, я тоже стал намного тщательнее проводить
свой осмотр. Дело в том, что пропеллер в нашем аппарате смонтиро-
ван позади мотора, а не впереди, а это означает, что любая отвинтив-
шаяся гаечка не упадет просто вниз на землю, а пройдет через лопасти.
Поскольку они вращаются со скоростью, близкой к скорости звука,
столкновение с твердыми объектами крайне нежелательно.

В результате такого более внимательного осмотра я сегодня заметил, что в моторе Пафф порвалась даже не одна, а две страховочные

проволочки, которые не позволяют пружинкам в выхлопной системе полететь в пропеллер, если они вдруг лопнут.

Не хочу загружать вас техническими подробностями, поэтому перейду сразу к сути. Пока я менял перетершиеся проволочки, Дэн попытался разобраться, почему Дженнифер использует больше топлива, чем Пафф. При внимательном осмотре он заметил, что подтекает ее топливный насос, который питается от самого мотора.

И он бы этого не обнаружил, если бы я не заметил, что порвались мои проволочки. Такое вот совпадение. Что же делать? Заказать новый насос и ждать его?

Но ведь этот насос подтекал уже много дней, и Дженнифер ничего не замечала — только расходовала немного больше топлива, чем обычно.

Решение: лететь!

Безрассудно? Мы так не думаем. В подобных случаях мы задаем себе вопрос: каковы наихудшие возможные последствия поломки? Может полностью отказать топ-

230

Нежные игры Жизни и Смерти. Путешествия с Пафф

ливный насос. Тогда включится резервный электрический насос — он есть в системе как раз на такой случай. Если основной отказывает, автоматически включается резервный и обеспечивает работу двигателя сколь угодно долго.

При этом основной насос до сих пор не давал сбоев — просто травит чуть-чуть топлива за борт.

И мы полетели дальше. Пафф в качестве ведущего, потому что эти места мне хорошо знакомы: я тут летал прежде.

Мы не стали сразу пересекать реку Колумбия, а пролетели несколько миль над водой, пока не заметили со стороны штата Вашингтон длинный пустынный пляж — озаренный утренним солнцем песочек.

— Поднять шасси для посадки на воду, — сказал я.

— Второй.

Я проверил, нет ли в воде коряг, пней и какого-нибудь хлама, который попадает в реки после проливных дождей. Но проливных дождей давно уже не было.

Моя амфибия села на реку и пошла к пляжу. Выпустила шасси,

нащупала песок — твердый и надежный. Пафф-гидроплан выбралась из воды и превратилась в Пафф — сухопутный самолетик, припаркованный на берегу. Дженнифер встала позади.

Когда оба мотора умолкли, из звуков остался лишь тишайший плеск волн протекающей рядом реки.

Мы снова ощутили себя, как Том Сойер и Гек Финн, перенесенные на Запад.

Песок был теплый и сухой. Мы ненадолго задержались здесь — закрыли глаза и прислушались к касаниям ласкового солнца, которое нашептывало: «Наслаждайтесь».

Затем, решив для себя, что этот пляж, как и все другие места, где мы приземлялись, скорее всего, никуда не денется и на него всегда можно будет вернуться, мы снова пустились в путь, превратив свои сухопутные самолетики в водные.

Если за дни своей жизни я усвоил хотя бы один урок, вот он: *За дни своей жизни мы не усваиваем только один какой-то урок. Мы усваиваем огромное множество уроков, и каждый из них — пиксель. Пиксели соединяются воедино, и мы видим, что наш мир зримых*

вещей не так слеп и безразличен, как видится на первый взгляд... Это сцена из переменчивых видимостей, на которой мы, несокруши- мые духи, играем свои роли, притворяясь смертными. Вместе наши уроки гласят: мы все живем за пределами пространства и времени. Смертность — грандиозный спектакль, и больше всего он нас радует тогда, когда мы помним, кто мы есть вне своей роли.

Ремонт или полет?

Летим на север над изумрудной долиной и вскоре видим впереди первые синие отблески залива Пьюджет-Саунд. Я взглянул на Дженнифер, парящую в воздухе рядом со мной, посмотрел на Дэна, выставившего свою камеру на вытянутой руке высоко над кабиной, чтобы снять Пафф на фоне воды.

До чего же замечательный перелет мы совершили — два человека и два самолетика! Страхи, и опасности, и испытания... Десять тысяч возможностей разбиться в лепешку и сгореть где-то на дикой пустоши. Но нас поддерживала уверенность в своих навыках и умениях — а это намного больше, чем просто беззаботная отвага. И еще была вера. Вера Дэна в Дженнифер и моя вера в Пафф.

— *И моя — в тебя. После той первой недели... после первой недели твоего обучения, я думала...*

— Что ты думала, Пафф?

— *...что наши шансы на выживание... не слишком велики.*

«Ах ты ж, Боже мой, — подумал я, — Пафф осваивает искусство дипломатии!»

А ведь она права. Мы свободны стать несчастными. Свободны разрушить свою жизнь неудачными выборами. Свободны обесценить свою жизнь тривиальными выборами. И свободны жить нестандартно, делая необычные выборы и находя неожиданные творческие решения. Причем при желании мы можем сделать все это на протяжении одной-единственной жизни.

Кто в силах остановить нас?

Глава 49

Новизна и вера

Идем над водой все дальше на север — и вдруг ландшафт изменился.

Видите клочок воды позади «Космической иглы»? Это озеро Юнион, узловой аэропорт *Kenmore Air* — самой большой гидросамолетной авиакомпании в стране.

Я подумал, что Пафф хотелось бы приводниться там на пару минут, чтобы поглазеть на город и лишний раз осознать, насколько ей повезло родиться деревенской девчонкой.

Всего минутка, и мы снова в небе — летим на север вдоль залива к островам Сан-Хуан.

Это было самое тихое море, какое я когда-либо видел в своей жизни, — новое место благоволит к новенькой и встречает ее радушно.

Осталось только отрекомендоваться по радио:

Нежные игры Жизни и Смерти. Путешествия с Пафф

— Три-четыре-шесть папа-эхо, группа из двух в пяти милях к югу заходим на посадку по прямой на полосу три-четыре.

И Пафф, легкая, как перышко, с тихим шелестом пошла вниз, чтобы впервые приземлиться на полосу, которая скоро станет ей знакома до последней выбоины.

Ремонт или полет? Очень часто мы выбираем полет. Если не взлетать, пока не починишь каждую мелочь, рискуешь всю жизнь просидеть внизу. Так что лучше поднимайся в небо, а все, что нужно, отремонтируем по дороге! Такой подход может доставить немало хлопот, но он же дает нам свободу.

Мы катились по рулежной дорожке. Я чувствовал, что Пафф под впечатлением:

— *Самый большой ангар на аэродроме — неужели это мой?*

— Ага, твой.

Пятьдесят девять остановок от побережья к побережью, 62 часа в полете. И вот мы дома.

Волна удовольствия, потом внезапная тревога:

— *Но я ведь не буду все время торчать на земле, правда? Ведь наше путешествие не закончилось? Мы будем летать каждый день?*

— Ангар — это только теплое убежище для передышки между полетами, Пафф, уютное логово для отдыха и ремонта. Ангар не годится для жизни, если ты настроена летать.

— *Я настроена.*

— Едва мы смоем пыль и песок, осевшие на нас во время этого долгого перелета, нас ждут новые приключения: озера и острова, каких ты никогда прежде не видела, чистая вода, на которую никогда прежде не садилась!

— *А Дженнифер?*

— Дженнифер с Дэном немного побудут здесь — мы еще полетаем вместе, исследуя неведомые земли.

— *Неведомые земли!*

Чем-то эти слова очаровали ее.

Как же она выросла! Пафф полюбила неведомое, и теперь летит в неизвестность совершенно уверенно — маленький безрассудный бесенок.

И вдруг… поверите ли вы?.. В тот самый миг, когда наши два гидроплана остановились возле ангара, над головой взревел мотор, по железной крыше прогрохотали колеса, нас обдало волной воздуха из-под крыльев, и мы услышали крик:

— ЭЙ ВЫ ТАМ, ВНИЗУ! *Я В ПЛЕНУ У СВОБОДЫ!*

Это Тоуд на своем аэроплане — он стремительно взмыл вверх и скрылся за горизонтом.

— Погоди, Тоуд! Мы с тобой!

Об авторе

Вдохновляющая книга Ричарда Баха «Чайка Джонатан Ливингстон» уже стала классикой мировой литературы. Два года подряд она занимала первое место в списке бестселлеров по версии *New York Times.* Ричард — один из самых любимых писателей землян. Жители нашей пл час анеты купили более 50 000 000 его книг, включая бестселлеры «Чайка Джонатан Ливингстон» и «Иллюзии». Бывший офицер ВВС США (летчик-истребитель, уволен в чине капитана), бывший исполнитель воздушных трюков на различных авиашоу, Бах продолжает летать по сей день — и описывает восторг полета в своих книгах.

www.richardbach.com

Литературно-художественное издание

Ричард Бах

Нежные игры Жизни и Смерти
Путешествия с Пафф

Фотографии: *Дэн Никенс*

Перевод: *Е. Мирошниченко*

Редактор *И. Старых*
Корректоры *Т. Селезнева, Е. Яковенко*
Оригинал-макет: *Е. Степаненко*
Обложка: *В. Миколайчук*

ООО Издательство «София»
107140, Россия, Москва, ул. Красносельская Нижняя,
д. 5, стр. 1

Для дополнительной информации:
Издательство «София»
04073, Украина, Киев73, ул. Фрунзе, 160

Подписано в печать 30.09.2013 г.
Формат 60×90/16. Усл. печ. л. 15,0.
Тираж 7000 экз. Зак. № 7500.

Отделы оптовой реализации издательства «София»
в Киеве: (044) 492-05-10, 492-05-15
в Москве: (499) 317-56-22, 317-56-44
в СанктПетербурге: (812) 676-07-68

http://www.sophia.ru
ООО «Имидж Принт» 300041,г. Тула, ул. Ф. Энгельса, д. 70, оф. 129.
Отпечатано в ООО «Тульская типография».
300600, г. Тула, пр. Ленина, 109.